점퍼Jumper, 순간이동자 4권

Jumper, The Teleporter 4

점퍼Jumper, 순간이동자4

발 행 | 2024년 03월 25일
저 자 | 장성우(살생금지)
펴낸이 | 장성우
펴낸곳 | 인생은 인쇄다
출판사등록 | 2023.7.17.(2023-000037호)
이메일 | jsoooosj@naver.com

ISBN | 979-11-93868-11-9(04810) / 979-11-93868-13-3 (세트)

jsoooosj.upaper.kr

점퍼Jumper, 순간이동자 4권

장성우(살생금지) 현대 판타지 소설

목차

작가의 말

4권입니다.

벌써이군요.

여러분도 여기까지 읽어주시느라,

고생이 많으셨습니다.

이야기의 중반부, 고개를 지나서 이제 후반부로 접어들게 됩니다. 기승전결의 관점으로 볼 때, 그리고 계절상의 추움으로 볼 때.
봄보다 여름이 조금 더 견디기 어려울 것이고,
그러나 생명의 위협까지는 없을 테고요.
여름보다 가을이 조금 더 혹독하겠죠. 그러나 아직도 바깥에 서 있다고 해서, 죽음을 떠올리게 되지는 않을 것입니다.

그리고 겨울이 되면,
이제부터는 본격적으로 생존의 계절이 되겠지요. 우리야 옷 따숩게 입고, 아파트 안에 들어가 있으니 모르지만… 단지 비유 상 이야기를 한다면. 헐벗은 채로 겨울을 그대로 맞이하는 사람은,
죽음과 삶에 대해서 조금 이야기해봐야 할 것입니다.
민서에게 있어서도, 서사 전체에 있어서도, 겨울은 고비이고,
중반부를 넘었어도 '어려움'으로 재어본다면 아직 이야기는 핵심이 남아 있습니다. 부디 즐겨주십시오.

24.3.16.土. 저자, 장성우:살생금지 올림

1.가을 이야기

결과적으로 점퍼에 대한 정보 통제는 성공적이지 못했다.

사람들의 집요한 추적과 수색, 추리와 정보 공유는 얼추 사실과도 닿는 구석이 있는 가설을 만들어 내었다.

현장에 있던 이들을 통제할 수단이 전혀 없는 것에서 이미 예견된 일일지 몰랐다.

수십, 수백여 명(거리가 아닌 당시 건물 내에서 사건을 바라보던)이 거의 동일한 증언을 하자 그들의 이야기에 무게가 실렸다.

그리고 하나같이 목격자들이 말하는 것이, 비슷한 시기에 전자기기가 먹통이 되었다는 이야기다. 일시적인 현상이었고 곧 복구가되었지만 해당 현장에 대한 디지털 기록을 가진 이들이 없었다.

하나같이 모두가 그런 현상을 겪었다는 것도 시민들에게 의문으로 남았다. 한 두 사람에게 한 장소에서 벌어진 특이한 일은 우연이었지만, 그만한 수가 동시에 겪는다면 누군가가 의도적으로 일으킨 일이다.

곧 순간이동이 가능한 점퍼로서 사회에 혼란을 일으키려는 악이 있었고, 그들을 통제하고 사회에 비밀을 유지하려는 감추어진 조직이 있으리라는 류의, 소설에 가까운 가설이 나타났다.

실제로 당시 일대의 CCTV나 블랙박스 같은 장비들도 모조리 일시적인 고장을 겪었다. 그런 정보가 대대적으로 뉴스에 방영이 되지는 않았지만, 개중에 본인의 기계를 가진 자들도 있었고 의외로 집요하게 탐정처럼 주적을 해대는 이들도 있었다.

사람들은 눈에 보이지 않지만, 언제 어디서나 나타날 수 있는 점퍼들에 대한 환상같은 것을 갖게 되었다. 사실 환상일 수도 있고, 어느 정도는 경계일 수도 있다. 현대적인 상식을 모조리 깨부수는 초능력의 존재는 삶에 대해 다시금 생각을 해보게 되는 좋은 계기이기도 했다.

사람들의 반응은 즐거운 것이나, 혹은 두려운 것. 혹은 이해를 포기하거나, 혹은 적극적으로 또한 학문적으로 현상을 파악해보려는 시도들로 이어졌다.

*

"점퍼란 무엇인가."

어떤 대학교수는, 대학교의 강의실에서 그런 주제를 대뜸 던졌다.

'Jumper.'

그가 강의실의 칠판에 적은 것이었다. 그는 사회학과 교수였고, 때로는 인문학에 관련된 교양 강의도 진행하는 사람이었다.

"요즘 많은 사람들이 떠들어대고, 또 화제가 되는 주제이죠. 점퍼. 소설이나 영화에서 먼저 이 단어가 유명해졌다고 하는데… 저는 개인적으로 보지는 않아서 몰랐습니다."

"…그 다음에 찾아보니 흔하게 할 수 있는 상상을 질 좋은 CG로 잘 만들어냈더군요. 그리고 이제, 우리들의 삶 근처에서, 기록으로 남지는 않았지만 이런 일이 벌어졌다는 얘기가 근래 계속 돌고 있습니다."

대학 교수는 의외로 젊은 편이었다. 30대 후반에서 40대 초반 정도의 나이. 그러나 동안에 스타일을 잘 꾸미고 다니는 사내는 제법 멋스러운 느낌이 드는 양반이었다.

적당히 굵고 선명한 목소리 톤 역시 학생들의 주의를 집중시키기에 유효했다.

"순간이동이라. 얼마나 꿈 같은 이야기입니까. 만약 그런 현상이 통제 가능한 상태에서 마음껏 유용될 수 있고, 제한도 없다면 당장 지구상의 모든 과학 기술이 몇십 단계는 혁신을 맞이할 겁니다."

대학 교수는 검은 머리에 적당히 정리한 헤어 스타일이었다. 평범한 남성들의 머리 모양. 늘 입고 다니는 셔츠에 청바지 차림을 하고서, 한 손은 주머니에 찔러넣은 채로 이야기를 이어갔다.

"그러나 아직까지 안타깝게도, 우리가 사는 지구에 그런 기술적 혁신은 벌어지지 않았군요. 여러분과 제가 아는대로, 우리의 역사의 특이점은 산업 혁명 이후로 별다를 게 없습니다. 역사가들은 제4의 혁명이라며 디지털 정보 기술을 이야기하지만… 뭐 과학의 흐름을 현격하게 뛰어넘었다고 볼 순 없죠. 흐름 상의 일 아니겠습니까."

그는 마른 침을 삼키며 즐겁다는 듯 강의를 했다. 자신이 속한 사회에서 가장 근래에 벌어진 사회적 현상이 무엇인가, 가 원래의 강의 주제였다. 그리고 또 마침 한국 사회에서 가장 이슈가 되고 있는 사건이 있었기에 그가 꺼내들어 본 것이었고.

9

"점퍼, 점프, 라고 불리는 현상이 재화로서 모두가 공유할 수 있는 양이었다면 아마 그런 기술적 특이점이 발생을 했을 겁니다. 그건 소수의 정보를 독점한 이들이 막으려고 해도 막을 수 없는, 막기 어려운 흐름이겠죠. 결국은 그들 스스로의 이익과 발전을 위해서 무수하게 사용할 테고, 사회의 일부에서 사용되어 발전이 있다면 결구 그 근처로 흐르고 영향이 미쳐서 우리에게까지 오게 될 겁니다."

"그러나 그러지 않았다는 건, 점프, 여기서 가상으로 이름을 붙여 봅시다. 점프라는 현상을 만들어내는데 들어가는 '에너지'를요. 임시로 점프 에너지, JE라고 해보죠."

교수가 한 삽-사십 명 정도 되는 인원들을 두는 일반 강의실에서 연설처럼 혼자 죽 말을 잇는다. 칠판에 점퍼, 라고 적은 것 옆에 JE라고 약어로 적었다.

"이 JE가 아마 충분하지 않았다는 반증일 것입니다. 충분치 않은 JE는 사회적 현상으로 점프가 관측되기 이전에, 현상을 통제하고 소수의 인물들이 이것들을 이용하는 상태를 유지하도록 만들었겠죠."

"뭐… 예컨데 이렇군요. 아마 전 세계의 정세를 주도하는 선진국들. 과학적, 기술적, 자본적, 그리고 문화적, 경제적, 군사적. 다양한 분야에서 선진국이라 할만한– 곧 서방 국가들을 위시한 세력이 겠죠. 그런 나라들의 지도자들을 포함한 소수의 인원들이 아주 급박하고, 사람의 생명이 달려 있고, 혹은 나라의 안위나 국익에 연관이 된 상황들에만 이 JE를 유용했을 것입니다."

허허. 사내, 교수는 슬쩍 웃음을 흘렸다. 요새 늘 강의만 하면 처– 졸고 있는 학생들이 왠일로 눈을 반짝이며 다 뜨고 있었다. 언제나 그렇듯, 지식과 정보– 책– 학문 그런 것들은 실제 삶과 밀접한 연관이 있음을 깨달을 때 가장 살아있는 형태로 받아들일 수 있게 된다.

다양한 종류의 현장 학습이나 매체를 이용한 교육이 주요한 점이었다.

그가 강의를 계속했다.

"사회적 합의가 정치적으로, 사회 계층 구도에서, 조금 높은 위치에서 이루어졌겠죠. 이것이 만약 의사가 없는 자원이라면 전쟁이 벌어졌을 수도 있겠습니다만. 아마 JE는 '점퍼'라는 인격체가 다루는 것이기에, 그리고 그 점프 능력이 상당히 초월적인 것이기에 쉽사리 그렇게 진행되지는 않았을 겁니다.

잡아서 멋대로 이용하려고 해도 도망가면 그만이었을 테니까요.

아마 점퍼와- 사회 지도층간의 합의가 이루어지고- 사회 지도층 끼리의 합의가 한번 더 이루어져서 차례를 지켜가며 이 능력이 사용되었으리라 봅니다.

그 과정에서 인격체인, 아마 시민일 점퍼들에게 상당한 대가가 지불되었을 지도 모르지요. 아마 상당량의 액수를 받고 임무를 수행하는 민간의 특수 요원들같은 것일지도 모릅니다. 상상을 해보자면요."

교수는 손으로 총 모양을 만들어내며, 헐리우드 영화의 특수 요원을 흉내내며 잠시 행동을 취했다. 등을 엄폐물에 기대고 짧은 순간에 총을 겨누는 동작들 따위였다.

몇 명의 학생들이 웃었다.

"재미있는 상상이죠? 그런 것들이 현실에 존재할 지 모른다는게 더 재미있다는 점이네요. 부럽습니다. 나도 그런 능력이 있었다면. 대학 교수보다는 아마 훨씬 벌이가 좋았을 텐데."

그가 너스레를 떨면서 교탁을 짚었다.

"뭐. 이런 것들이 이제 어떤 능력, 자원, 현상과 사회에 대한 분석입니다. 상호 작용하는 두 객체 중, 한 객체의 모습을 파악하고 있다면 다른 것의 형상을 얼마간 추리하고 만들어낼 수 있다는 점이지요.

그러나 이건 우리가 살아가는 사회의 모습을 그려볼 수 있기 때문에 할 수 있는 추측이고… 그런 것들과 닿아있지 않은 부분은 추리하기가 어렵네요.

예컨데, 이 점퍼들이 존재한다면, 그들의 능력의 한계는 어느 정도일까. 순간이동은 연속해서 할 수 있나? 자기 외에 다른 사람을 데리고 이동을 할 수 있을까? 신체 외의 물건들을 가지고 이동을 할 수 있나? 가능하다면 어느 정도일까.

그런 정확한 분석은 결국 실물을 눈 앞에 두어야만 가능하겠죠. 아까의 분석처럼 대략값은 정할 수 있겠지만 말입니다."

교수는 침을 삼키며 말을 멈추었다. 학생들이 그의 말을 경청하는 건, 수업 일정을 말할 때조차 보기 힘든 집중력이었다. 이 놈의 성현대. 이 놈의 MZ세대들. 우스운 말이었지만, 교수는 언제나 학생들이 좀 더 초롱초롱하고, 수업에 열의를 보이기를 원하고 있었다.

그가 다시 입을 뗀다.

"그건 그렇고. 여기까지가 현존하는 '점퍼'가 있다면 그에 대한 분석입니다. 그리고 그 이후는 한번 더 생각해볼 것이 있습니다.

'점퍼'가 과연 이 세상에 존재해도 되는가. 입니다.

과연, 누구의 동의도 받지 않고 어느 곳에나 침입할 수 있는 공간이동자의 존재가 우리들의 삶에 용납될 수 있는가?

라는 문제입니다. 함부로 집에 발을 들이는 불청객을 옆에 두고 사는 것과 비슷하겠네요. 그 불청객이 솜씨가 좋아서, 아무리 잠금장치를 보강해도 뚫고 들어오는 전설적인 대도라면 더욱 말입니다.

여러분은 이런 문제에 대해서 한 번 생각해보기 바랍니다. 그리고 만약 존재해서는 안된다, 라고 한다면. 그에 대한 대책으로 이 사회와 공동체는 어떻게 대처해야 하는지까지도요. 다들 견해를 내놓기 바랍니다. 거창한 사회 실험도 아니고, 그저 뇌내에서 해보는 가상의 일일 뿐이니 부담도 가지지 말고요."

어떤 현상을 그저 관측하는 건 수용적인 태도였다. 그리고 진정으로, 학문을 발전시킬 학자란 현상의 너머에 있는 옳고 그름, 혹은 방향성, 혹은 그 너머의 진리에 닿아야 했다.

우리가 어떤 현상을 어떻게 다루어야 하는가. 어떻게 적극적으로 개입해야 하는가.

결국 학문이란 인간의 삶을 나타내는 것이었기에, 우리의 삶의 모양에 맞추어 발전해나갈 수 밖에 없었다.

교수는 학생들이 어떤 일에 대해서 고민을 할 때 조금 더 적극적이고 과감한 지경까지 머리를 굴려보기를 바랐다.

"어… 헐리우드에 나오는 무슨 맨처럼 그 사람들을 죄다 격리하고 구속하고 통제해야 한다는 이야기세요?"

한 학생이 조심스레, 수업의 말미에 손을 들어 질문을 했다. 그가 말한 할리우드 영화에서는 초인과 비초인이 대립을 한다. 사상의 대립처럼도 보인다. 그리고 소수자로 대변되는 초인들은 강한 힘을 가졌음에도 제대로 단합도 못하고, 통제를 당하고 사회적으로 불이익을 당한다.

초인의 모습을 하고는 있지만 사실은 지나친 개성… 이라고 말하면 다소 고통스러울 수 있으나 사회적으로 보편적인 기준에서 벗어난 약자들에 대한 이야기였다.

사회적인 안전망, 대책, 보충적인 대안에도 충분한 도움을 받지 못하고 소외된 채 살아가는 이웃들을 어느 정도 비유하고 빗댄 영화였다.

"결국 여러분이 염두에 두어야 할 것은 그것입니다."

'좋은 질문입니다.'라고 교수는 먼저 말했다. 분필을 든 손으로 질문을 한 남학생을 가리키면서 말이다. 그가 말을 이었다.

"어차피, 초인이건 어떻건, 어떤 개성을 가졌건, 절대적으로 우리는 이 지구상에서 같이 살아가는 이웃이라는 점입니다. 이웃. 인간. 타인을 배려하지 않은 자, 자신또한 배려 받기를 기대하지 말라. 그런 격언처럼 생각하십시오. 당신이라면 어떻게 배려받기를 원하겠습니까. 어떤 처우가 좋겠습니까.

여러분이 사회에 대해서 다양한 현상들을 분석하고, 결론을 내놓고, 대안을 내놓은 것의 목적은 결국 살아가고 있는 공동체 내부의 개인들을 위해서입니다.

다른 이의 행복과, 이익과, 기본 상식을 지키면서 답을 내놓아 보십시오. '어떻게 하면' 모두가 더 행복하게 살 수 있는가. 지긋지긋하도록 기본적이고, 단순한 질문이지만 어차피 모든 학자들은 이것에 대해서 평생 고민하는 과정일 뿐입니다."

학생이 물어 본 헐리우드 영화에서는, 초인들과 비초인간의 대립이 격화되면서 서로에 대해 비인도적인 처사까지 거리끼지 않고 선택하는 비극이 담겨 있었다.

16

타인에 대한 이해나 배려는, 자신의 삶을 지킬 수 있는 가장 소중하고 기본적인 수단이기도 했다.

교수는 그런 점을 염두에 두라고 리마인드 시키면서, 하루의 수업을 마쳤다.

*

수정은 여느 때와 다를 바 없는 일상을 그 이후로 보냈다. 10월의 사건은 그녀의 인생에 충격을 주었지만, 살다 보면 사고와 마주칠 때도 있었다.

결국 눈 앞에서 교통 사고나 폭발 사고가 일어났을 뿐이라고 생각한다면, 납득할 수 없는 현상도 아니었다. 결국 그녀 개인에게 있어서 미치는 영향력은 그런것이었다.

'점퍼'라고 인터넷 상에서 흔하게 불리는 그런 존재들에 대해서는 깊이 생각해도 알 수 있는 게 없었다. 그런 존재가 있다고? 실존한다고?

그래서 당장 그녀의 삶이 바뀌는 건 아니었다. 원래부터 있던 것을 그녀가 알게 되었을 뿐이다.

며칠인가는 마음의 안정을 찾기 위해 집에 틀어박혀서 어머니의 밥이나 먹으면서 지냈지만, 얼마간 시간이 지나서 다시 아무렇지 않게 등교를 하며 일상을 보냈다.

아마 그녀처럼 결석률이 적은 대학생도 드물 것이다. 그녀는 몸이 아픈 때에도 대학 수업을 나갔다. 성실함은 그녀가 가진 좋은 특징 중 하나였다.

그 와중에 민서와 한 통화 역시 도움이 된 게 사실이었다. 김민서는, 평상시에는 그다지 특별할 게 없는 맹한 녀석이었지만 이럴 때에는 도움이 된다. 언제나 변함이 없이 맹한 표정으로 일관하는 녀석은 힘들 때나, 무서울 때 그 한결같음이 도움이 되었다. 같이 있다 보면 그녀 역시도 마음이 차분해지는 효과가 있었다.

일정한 건 늘 도움이 된다. 상황 변화랑 차이 없이 일정한 리액션은. 가끔은 도통 반응이 없어 심심할 때도 있었지만. 괴롭고 힘든 상황일 때 평소와 같다는 건, 그것을 위해 감내해야 하는 마음의 크기를 짐작할 수 있기에 고마운 일이었다.

그녀는 그런 고마움에 미처 물어야 할 것들에 대해서 더 집요하게 묻고 있지는 못했다. 사실 점퍼를 목격하고 나서, 얼마간 집에서 알 수 없는 공포감 따위에 시달리며 잊혀진 기억도 떠올랐다.

오랜만에 김민서와 약속이 있어 만났을 때 겪었던 일의 기억이었다. 그녀는 그 날 별다른 일이 없다고 생각을 했었건만, 사실과는 달랐다.

그녀가 아무 일도 없었다, 라고 무의식중에 적당히 생각하며 넘긴 자리에 다른 사건이 끼어 있었다. 그녀는 김민서를 약속 장소인 교차로 광장에서 바로 만난 게 아니었고, 어느 골목길로 달려가던 그를 쫓아서 얼마간 달리기 경주를 했었다.

제법 빠른 편이었던 수정은 김민서의 행적을 놓치지 않았고, 그가 들어간 골목에 다다른다. 그리고 10월 3일. 월요일 대로변에서 본 것과 같은 기현상을 목격한다.

당시의 상황이 완벽하게 떠오른 건 아니었다. 그러나 대부분의 맥락과 흐름은 기억에 남았다. 훤칠한 남자가 그녀에게 다가왔고, 무언가를 했다.

최면처럼 인상이 남은 행위 끝에 그녀는 기억을 잃었었고, 아무 일도 없다는 듯이 시간을 보냈다.

수정은 살짝 인상을 찡그렸다. 김민서에게는 사실 물어볼 것들이 받았다.

그녀의 집, 방 안. 침대 위에서 잠깐 구석에 누워 생각을 하던 그녀는 잠깐 미간을 찡그리며 앉아 있다가, 그대로 잠시 잠에 들었다.

***

*

옌의 과로를 대가로 끝까지 이어진 추적은 일단,

일단락되었다.

쉬는 시간도 그리 길지 않고 계속해서 점프를 반복하며 사람들이 흔하게 들를 만한 대도시와 명소들을 추적한 그녀가 발견한 건 다른 몇 명의 점퍼들 뿐이었다.

하나같이 이미 점퍼 조직에서 발견 후 관리 조치 중인 인물들이었고, 이번 사건에 관련된 이들은 아니었다.

점퍼가 자연 발생적이라는 걸 생각했을 때 어떤 특이한 이가 나타나도 이상한 건 사실 아니었다.

그러나 적어도, 일반적인 점프 능력이 인간의 사춘기를 지날 무렵 생긴다는 사실은 대강의 시점을 유추하는 데 도움은 되었다.

현장에서 목격된 사내는 아무리 봐도 3, 40대는 되어 보이는 인물이었다. 정말로 아무런 일도 벌이지 않고 철저하게 점프라는 능력을 숨긴 채로 그 시간까지 있을 수 있는가?

조직이나 공동체에 소속된 이라면 그럴지 모른다. 그러나 그 개인이라면 능력에 대한 유혹을 뿌리치기는 쉽지 않을 것이었다.

그렇다면, 만일 그렇다면 진실로 점퍼의 존재를 예전부터 알고서 중요한 순간에 사용하고 테러를 일으키기 위해 준비해 온 악의 조직이 있을까.

그 정도로 주도면밀한 이들이 있었다면, 사실 점퍼 조직의 눈에 띄었을 것이다. 그렇다면 그 말은 점퍼 조직이 경계해야 할 만큼의 포부를 가졌으나, 절대로 드러나지 않도록 제대로 활동을 하지 않으면서 명맥을 이어 온 범죄 단체가 있다, 는 결론에도 닿는다.

커맨더는 일순 그런 가능성을 부정했지만, 마음 한 켠으로 추측을 남겨두었다.

그런 고약한 단체가 존재하기 위해서는, 그들이 적어도 점퍼 조직에 대해서 인지하고 있어야만 했다. 눈에 보이지도, 존재조차 모르는 적을 견제할 수는 없지 않는가. 적어도 확률 높은 추론이나, 단서라도 있어서 그들의 설립 목적부터가 세계 다양한 단체와 협응하는 점퍼 조직을 파악하고 그 추적을 벗어나기 위해서 움직여야만 말이 되는 일이었다.

그리고 커맨더는 자신이 점퍼 조직을 물려받고, 여태까지 많은 기밀을 들추고, 조직을 운영해오면서 그런 이들에 대한 정보를 따로 얻은 적이 없었다.

점퍼 조직에 대해서 아는 이들은 전 세계에서 극소수 중의 극소수이다. 제대로 된 연관이 없다면 근처에도 닿을 일이 없는 소규모에, 독자적인 비밀조직인데. 그나마 가능성이 있다면 관련자 중 누군가가 조직의 오랜 경영 동안 정보를 얻고 욕심을 키운 뒤, 천문학적인 확률로 개인적으로 점퍼를 발견해 그를 엘리트 요원으로 육성한 뒤 자신들의 야욕을 이룰 계획을 만들어왔다는 이야기였다.

커맨더는 톡톡톡, 하고 지휘관 실에 앉아서 집무실 테이블을 두드렸다. 깊은 생각에 빠질 때에 나타나는 버릇이었다. 그는 벗겨진 머리를 한 번 쓰다듬으며 생각을 정리했다. 가라앉은 눈빛이 먼 곳을 보는 것도 같았다.

점퍼 조직과 연관이 있었던 모든 인물들에 대한 정보가 필요했다. 여태껏 조직에 연이 닿았다가, 이후 떨어져 나간 인물들. 그런 이들에 대한 정보가.

달칵.

커맨더는 생각이 정리되자 곧바로 집무용 테이블에 비치된 수화기 하나를 집어 들었다. 무선에, 작은 크기인 그것은 들고 다니면 곧바로 핸드폰이 되기도 하는 물건이다. 충전 장치에서 들면 바로 행정 비서 조직에게 연결이 된다.

"음. 바로 찾아봐 줘야 할 게 있네. 여태껏 조직에 참여했던 적이 있는 모든 인물 리스트를 뽑을 수 있겠나? 개중에서 조직을 빠져나간 인물들. 그들 중에서 의심스러운 자가 있는지 먼저 찾아봐야 할 것 같아."

적이 내부에 있다면 그나마 추리의 단서가 있는 편이었다. 맨땅을 헤짚는 것보다야, 훨씬 나은 상황이어다. 커맨더는 전화위복이라고 생각하며 지시를 내리고는 다시 생각에 잠겼다. 누구일까. 만약 머릿속에 떠오른 가설이 사실이라면 그 정도의 세월을 견딜 정도로 대담하고, 집요하고, 인내심이 강한 자. 3, 40대에 준하는 점퍼를 다룰 정도라면 그보다는 나이가 많을 가능성이 높았다.

아마 최소한 40대 중 후반에서 50대… 혹은 그 이상일 수도 있었다. 어떻게 보나 자신과 비슷한 연배이거나, 자신의 선배들과 비슷한 기수의 인물일 것이다.

그리고 안정적으로 조직을 벗어나서 눈에 띄지 않고 모략을 꾸밀 정도라면 점퍼보다는 비점퍼 요원일 가능성이 높았다. 일단 점퍼 요원들은 대부분, 조직의 바깥에 있더라도 어느 정도 관리 속에서 살아가게 된다. 주기적으로 살고 있는 위치를 파악하게 되고,

점퍼가 관련된 사건이 일어나면 어느 정도 용의선상에 오르기도 하는 것이다.

그리고 결정적으로 이런 일이 '점프' 능력에 대한 갈망과 욕망으로 이루어진 것이라면 그 자신이 비점퍼일 확률이 높았다.

커맨더는 선대의, 지휘관들과 그 주변을 보좌했던 유명한 이들의 이름을 기억이 나는 대로 주욱 읊으면서 잠시 집무실에 있었다.

*

김민서의 능력은 성장에 가속도라도 붙는 듯 순조롭게 늘어났다. 유지 시간에 있어서 분 단위의 증가가 연속적으로 일어났고, 적용 범위 또한 km 단위의 증가가 나타났다. 곧 전략적으로 사용하기만 한다면, 모든 점퍼들의 천적이 될 수 있는 '재머'의 능력이 점차 나타나고 있었다.

*

"푸."

입에 들어간 것을 뱉는 소리였다. 한 남자는 먼지나, 날리는 종이 부스러기 따위를 뱉어내며 잠시 손을 저었다.

낡은 건물이었다. 쓰지 않은 지 아주 오래된.

막말로 2차 세계대전 말엽의 건물이라고 해도 될 정도로 오래되어 보이는 건물이다. 다만 그 골조는 튼튼한지 건물의 외형 자체는 그 모습을 잃어버리지 않고 있었다. 다만 내부가 사람이 있기 힘든 곳일 뿐이다.

사내가 있는 곳은 필리핀이었다.

일본 제국주의 시절, 제2차 세계 대전 당시 일본의 식민지였던 이 나라에도 여러 가지 잔재가 남아 있었다. 아까는 외형을 보고 비유가 심하다고 묘사했으나, 실제로 이 건물은 그런 것들 중의 하나였다. 어느 동떨어진 섬의 한구석에 처박혀 있는 비밀 군사기지.

이제 와서는 이미 만든 이들도, 관련된 이들도 사라지고 가치가 있는 땅도 아니라 많은 이들이 잊어버린 채 방치 하고 있는 건물이었다. 나라의 국책 사업이나 어느 개발자가 토지의 유용을 위해서 싹 밀어버린다면 처지가 바뀌겠지만, 아직까지 이 섬의 한 구석을 찾아오는 부유한 이들은 없었다.

얼마의 비용- 을 지불하고 이 일대 토지의 주인이 된 건 외국인이었다. 그리고 그건 지금 한 낡은 건물에서 입가를 메만지는 사내와 관련이 있는 인물이었고.

사내는 평범한 체격이었다. 검은 머리를 하고 있었고. 그의 국적은 한국계 미국인으로, 한국에서 태어났으나 미국인 부모에게 입양을 가게 되어 어릴 적부터 미국에서 주욱 살았다.

부모의 교육 방침에 의해 한국어도 어느 정도 능통하게 배웠고 쓸 수 있었으나 모국어를 굳이 고르자면 영어라고 대답해야 했다.

"지겹군."

사내는 혼잣말을 곧잘 했다. 오래도록 혼자 있는 시간을 가졌기 때문인지도 모른다. 실제로 혼자 있을 때의 혼잣말은, 나름대로 정신의 안정감을 유지하는 데 도움이 되기도 했다. 어느 정도 감각이 깨어나고 사용된다는 건 그래도 괜찮은 일이었다. 지독한 침묵 속에서 몇 날 며칠이고 계속해서 있다 보면 가끔은 머릿속의 두통처럼 헝클어진 생각들이 활개를 치고는 한다.

건물이 있는 곳은 섬에서 내륙 지방이었다. 이미 휑하니 뚫려 있는 창가로 걸어가 경치를 보자면, 멀리 바닷가가 조금 보이기는 한다. 고지대는 아니었지만, 평야처럼 먼 거리를 확인할 수 있는 지형이었다.

예전에 콘크리트 따위로 지어졌을 건물이지만 먼지와 다양한 자연적 불순물들에 의해 색이 바랬고 인테리어는 폐허 그 이상도 이하도 아니었다. 앉을 자리도 마땅찮은 곳 어딘가에 기대어 앉아 있는 사내이다.

그는 누군가를 기다리고 있었다. 동료, 라고 말을 해야 할 것이다. 어쨌든 간에 그의 행동의 방향성을 결정한다는 점에서… 보스라고 해야 할지도 모른다.

보스와 그와의 관계는 오래된 것이었다.

어떤 것들에 비하면 짧을 수 있는 연수였지만, 그의 나이에 비해서는 분명 오랜 시간이었다. 그의 나이가 25살이었고- 보스와 만난 것이 14살 때의 일이다.

그는 그 시점에서 '점프'라는 능력을 각성했다. 마치 팔을 타고나는 것처럼 자연스럽게 쓸 수 있게 되었다. 사춘기 이후에 생긴 것이니, 새로운 팔이 생긴 셈이었다.

'팔'은 대략적인 매커니즘을 알 수 있게 되었다. 그에게는 일정한 양의 비가시적인 에너지가 있었고, 그것을 사용해서 순간이동이 가능했다. 수치적인 좌표가 있다면, 혹은 직접 경험한 위치 데이터가 있다면 어디로든 가능하다.

다만 점프를 한다고 해도, 점프를 하는 그 자신의 몸은 아무런 변화도 없는 일반적인 것이었으므로 주의를 기울이기는 해야 했다. 까딱 잘못해서 생사가 위험한 극한의 장소로 갔다가, 순식간에 목숨을 잃을 수도 있었다.

그는 처음에는 조심스럽게 능력을 사용했고, 얼마 지나지 않아서 그에 관련된 많은 정보들을 얻고 비교적 거침없이 점프를 다루었다.

그가 만난 '보스'의 존재 때문이었다. '보스'는 거의 모든 것을 알고 있었다. 그가 점프에 대해서 알아야 하는 것들. 점프의 메커니즘. 말하자면, 그 능력의 룰이라고 할만한 것들 말이다.

한 손에 한 명씩, 두 명까지 데리고 단체 도약을 할 수 있다는 점. 아무리 먼 거리라고 하더라도 횟수가 중요하지, 거리와 JE의 총량은 상관이 없다는 점. 자신이 두 팔로 지탱할 수 있는 무게까지가 점프로 옮길 수 있는 질량의 한계라는 점.

JE가 관여하는 점퍼의 신체 주위로 약간, 약 3에서 5cm 정도의 거리까지가 같이 이동을 하는 범위라는 점. 나부끼며 유동적인 형태를 가지는 옷가지의 경우에는 개인별로 차이가 있으나 보통 kg 단위 아래의 무게라면 점퍼의 귀속물로 여겨진다는 점.

형태가 쉽사리 변하지 않는 견고한 물체의 경우에는 착용을 하더라도 신체 주변을 너무 벗어나면 중간에 절단이 되거나, 혹은 도약에 포함되지 못한다는 점.

점프는 연속 도약이 가능했지만, 전후로 아주 약간의 텀이 있다는 점. 그리고 점프는 한 개의 분리될 수 없는 과정이 아닌 분절하여 작동이 가능한 행위라는 점.

또한 특별한 특질에 따라서, 어떤 점퍼들은 단순한 방식이 아닌 조금 남다른 방식의 도약이 가능하다는 점.

'쉴더'나 '레이더' 따위의 인물들이었다.

그리고 그 또한 그런 류의 점퍼들 중 한명이었다. 극도로 희소한 돌연변이라 볼 수 있는 점퍼들 중에서도, 더욱 특이한 형질을 타고 난 점퍼. 그는 말하자면 '쉴더'의 대척점에 있는 존재였다.

'쉴더'는 자신이 있는 주변으로 점퍼가 도약을 해오는 것을 미리 깨닫고, 그 자리에서 도약 재밍을 걸 수 있었다. 상대의 도약을 이용한 암습을 막는다는 점에서 '쉴더'라는 이명이 참으로 잘 어울리는 특질이었다.

그리고 그의 능력에 따라 별명을 붙여주자면, '텔레포터 Teleporter'정도가 될 것이다.

기본적으로 모든 점퍼들은 순간이동이 가능한 텔레포터이지만, 그의 경우에는 다소 특이한 변용이 가능했다. 그는 손을 대지 않고도, 원거리에 있는 존재를 의사의 확인만 받는다면 점프를 시킬 수 있는 능력이 있었다.

한 번에 한 명이 가능했고, 그 자신과 동시에 단체 도약은 불가능하다. 자신의 도약 횟수를 1회 소모해서 점퍼가 아닌 누군가의 점프를 이루어내는 능력이었다. 다른 점프와 마찬가지로, 그가 그 존재의 정확한 위치 데이터를 알아야 했다. 좌표상의 데이터나 혹은 눈 등의 오감으로 느껴서 충분한 정보를 얻어내야 한다.

가장 직관적인 사용은 그가 시야 내에 있는 누군가를 바라보고 그에게 점프를 유용하는 것이다. 이는 단체 도약과는 다소 다른 것으로, 점퍼가 아닌 일반적인 대상이라고 하더라도 그가 텔레포트를 사용하면 점프에 대한 작용을 선명하게 느낀다. 그리고 상대가 직접적으로 '수락'을 하지 않는다면 텔레포트는 성립되지 않았다.

분명한 '거절'이 없다면 곧바로 시행되는 단체 도약과는 정반대의 기능이라고 할 수 있었다.

그 외의 능력들은 평범한 편이었지만, 이런 특질은 말하지 않는 다면 '보스'가 경계하는 '점퍼 조직'에서도 알아챌 수 없는 사실이었다. 애초에 점퍼 자체가 자연적으로 발생하는 것이기도 했고, 그 가운데 예상치 못한 특이한 형질의 점퍼가 새로이 나타난다고 하더라도 그 발생을 알 수는 없었다. 목격하기 전까지는 말이다.

목격하기 전까지는. 그 부분이 중요했다.

사내는 그동안 자신을 감추고 살아야 했다. 그 정체나 실체도 불분명한, '점퍼 조직'이라는 단체 때문에. 여태까지 그를 이끌어온 건 '보스'였다. 그는 그를 양자로 거두어들인 미국인 부모님의 절친한 친우로, 굳이 따지자면 그의 대부라고 불러도 어색하지 않은 사내였다.

미국인이었고, 물리학 박사인 보스는 자신이 만드는 계획과 야욕을 위해 사내의 삶을 통제해왔다.

그런 행위에 그다지 불만이 있는 건 아니었다. 어찌 되었든, 그가 풍족한 삶을 살 수 있도록 다양한 제반들을 훌륭히 갖추어주는 인간이었으니.

철이 들 무렵부터 그를 능숙한 점퍼로서 키워내기 위해 다양한 훈련들을 시켰고, 걸맞은 보상을 주었다. 보스는 일단 부자였다. 인맥이 넓은 사내였고 그가 소속된 곳만 하더라도 전부 몇 개인지 알 수 없는 자였다. 그를 거두어들인 미국인 부모님 또한 중산층 이상의 부유한 집안이었으나 보스로부터 얻는 보상은 그의 금전 감각을 바꾸어 놓을 정도였다.

어쨌거나, 그런 것들 상황들 속에서 그의 불만은 한 가지였다. 여태껏 갈고 닦아온 능력의 발현.

계획적으로 움직이기 위해 한 치의 오차도 허용하지 않고 점프 능력을 키워 왔는데, 그것을 써먹을 데가 없다면 그의 인생은 그 자체로 무의미해지는 것이나 다름이 없었다.

인생의 의미. 돈보다도, 물리적인 자유보다도, 그는 그것이 필요하다.

"쓰읍."

가만히 구석에 앉아 있는 것만으로도 먼지가 피어올랐다. 텅 빈 창문은 그 자체로 그냥 커다란 구멍이나 다름없었다. 멀리서 불어오는 바람이 건물에 닿아 내부를 헤집어놓으면 온갖 부스러기가 날아올랐다가 다시 가라앉는다. 바람은 외부에서 들어오지만 내부의 것들이 바깥으로 잘 빠지지는 않는 것 같았다.

애초에 창문이 적고 구조가 복잡한 건물일지도 모른다.

그렇게 잠시 앉아 있으며 기다리기를 얼마간. 삐리리- 하고 그의 주머니에서 무언가가 소리를 냈다. 통신기였으나, 전화는 아니었다. 알람이었지. 그가 보통 이런 곳에서 누군가를 기다리는 건 거리의 문제는 아니었다. 시간의 문제였지.

그에게는 거리의 제약이 크게 중요하지 않다. 일반적인 점퍼도 그러하고, 사내의 경우는 더욱 그러하다. 심지어 상대를 자신이 있는 곳으로 불러올 수조차 있으니까.

통신기에서 울리는 소리는 알람이었다. 정확한 시간이 되면, 해당 위치에서 이곳으로 상대를 부르기로 되어있었다.

정확한 시간에 해당하는 위치에 서 있기로 한 상대. 상대와의 약속은 늘 한 치의 오차도 없이 이루어지곤 한다. 그가 곧 보스였다. 사내는 그런 철저하고 지독한 훈련과 교육 속에서 살아왔고, 최근에 이루어낸 작전에서 그런 훈련의 성과를 보였다.

스스로도 나름대로 만족스러웠고, 그의 능력을 키운 보스는 더욱 만족스러워 했다.

사전에 알려준 좌표 데이터를 이용해 점프를 시도한다. 눈을 감고 도약을 하는데, 그 작용은 정반대였다. 자신이 어딘가로 가는 것이 아니라 도착지에 있는 누군가를 자신이 있는 곳으로 불러들인다. 점퍼로서의 능력도 갖고 있었지만, 이런 특이한 사용이 가능한 것이다.

'점퍼'가 사용하는 도약에는 한 가지의 고정좌표가 필요했고, 그 외에 유동적인 좌표를 변환할 수 있었다. 대개 고정좌표는 점퍼가 도약할 때 도약을 시작하는 지점, 곧 점퍼 스스로의 위치였고 그가 향하는 도착지의 좌표는 어디로든 변할 수 있었다.

가변적인 좌표가 두 가지가 있어서는 점프가 작동이 되지 않았다. 텔레포터의 점프 또한 마찬가지였어서, 가변적인 좌표인 상대방의 위치가 있고 언제나 그 도착지는 고정좌표인 텔레포터가 있는 자리가 된다.

혹은, 자신이 있는 곳에서 지근거리에 있는 인물을 도약으로 보낼 수도 있었다. 이는 '단체 도약'과도 비슷한 것이었다. 차이점이 있다면, 자신은 이동하지 않고 대상만을 이동시킨다는 점이었다.

대강 도약을 시도하자 어렴풋이 상대의 방향이나 거리를 느낄 수 있었다. 이 정도의 감각은 점프를 많이 이용한 점퍼들이 느끼는 것으로, 예리해짐에 따라서 타고난 특질이 아니더라도 다른 사소한 잡기들을 익히고 사용할 수 있었다.

어쨌든. 필리핀이 있는 곳에서 한참이나 멀리 떨어진 곳에 있던 누군가가 그의 텔레포트에 따라 이동해왔다.

후욱, 하고 아주 작은 바람이 부는 것 같은 소리는 JE에 익숙한 점퍼나 그 외 인원들이 곧잘 느끼고 하는 전조음이었다.

익숙한 감각과 함께 누군가가 그의 앞에 나타났다. 상대방의 이동은 점프를 시도하는 점퍼에게는 약간의 과정을 거치지만, 그 결과만 본다면 원래 그 자리에 있었던 것처럼 딜레이 없이 곧바로 나타난다.

사내의 앞에 누군가 모습을 드러냈다.

그는 약- 30대 후반에서 40대 초반 정도로 보이는 인물이었다. 검은색으로 염색한 머리가 눈에 띄는 인물이다. 동양계는 아니었고, 누가 보아도 서양인의 모습이다. 약간의 주름진 얼굴과 탄탄한 체격. 키는 약 180 정도 될까.

가만히 보면 눈매가 약간은 사나운 남자였다. 눈썹은 은은한 갈색에 금색이 섞인 듯한 빛깔로 그게 원래 그의 모발 색깔인 듯했다.

그는 검은 톤의 정장을 입고 있었다. 모습이 드러나면서 눈을 감고 있던 그가 눈꺼풀을 들어올리며 눈앞의 사내를 바라보았다. 어리고, 젊은 사내는 여전히 건물 구석의 어느 가구-였던 것 같은 물건에 기대어 앉아 있었다.

폐건물에 나타난 남자가 말했다.

"잘했다. 역시 능숙하군."

칭찬이 달가운 건 아니었지만, 특별히 기분이 나쁜 것도 아니었다. 앉아 있던 남자가 그에게 답했다.

"별말씀을요, 보스."

보스라 불린 사내가 씨익 입매를 끌어올렸다. 그는 일전에, 서울에서 드론에 매달린 채로 폭탄을 빌딩에 던져대던 광인이었다.

***

*

10월이 지나고 11월이 왔다.

그동안 많은 변화가 있었다. 우선, 멕시코를 근거지로 둔 갱들이
거의 다 말소가 되었다. 멕시코의 치안 상태는, 일시적으로 아주
깨끗해진 상태였다. 수많은 이들이 병신이 되어서 어딘가의 감옥에
처박히거나, 다른 사람의 도움이 없이는 살아갈 수 없는 처지들이
되었다. 갱들의 이야기였다.

대형 카르텔을 시작으로 중, 소규모의 난립하던 마약 유통업자들

38

을 다양한 국가에서 긁어모은 화력과 전투 자원이 쏟아 부어져 소탕한 것이다. 그저 일방적으로 총만 조준 사격으로 쏘아댄다고 하더라도 상당한 양이었는데, 이를 위해서 조직의 점퍼들이 상당량 투입되었다.

약 한달 여 간 조직의 JE 총량은 잉여분이 조금도 없을 정도로 빠듯하게 운영이 되었다. 많은 점퍼들이 로테이션을 돌면서 현장을 오갔고, 많은 고생을 했다.

조직의 점퍼들의 평균적인 점프 횟수는 아주 높은 편이었다. 그럼에도, 일반적인 계산을 해보자면 20여 명이 150회 정도를 임무에 사용하는 것이 한계치일 것이다. 3,000회 정도의 점프. 단체 도약에 모조리 투입한다면 하루에 6,000명을 옮길 수 있는 수치였다.

질량으로 치환한다면 못해도 300톤의 물건을 옮길 수 있는 수치였고.

물론 다양한 임무들이 있었으므로 조직의 JE가 전부 남미의 소탕 작전에 유용된 건 아니었지만, 거의 반절 정도가 매일 투입된 건 사실이었다. 이례적인 수준이었다. 이 정도의 대규모 작전은 말이다.

그에 따라 병사와 자원을 차출한 각국에서도 나름대로 결의를 다지며 출혈을 각오했고, 결과적으로 성공적인 소탕 작전의 마무리가 있을 수 있었다.

카르텔 조직들은 여기저기가 어지럽게 얽혀 있었다. 그 내부 정보를 완벽하게 빼올 수 있는 조직도 있었고, 때로는 다른 수단으로 알아내기가 어려운 조직들도 있었다. 그럴 때에는 점퍼 중의 특전사라 할 수 있는, 홍인수나 최길우같은 자들의 활약이 도움이 되었다. 내부 정보가 블라인드인 건물과 적진에 들어가서 상처 없이 교전을 벌이고, 폭탄 따위를 설치한 뒤 나왔다.

폭탄일 때도 있었고, 화학물일 때도 있었다. 어쨌든 요지는 그것이었다. 건물 안에 숨어든 너구리들을 바깥으로 몰아내듯이, 그 안에 있을 수 없게 만드는 것. 그렇게 근거지를 치고 나면 사방으로 진을 친 특수 병력들이 야투경을 끼고 조준 사격을 해댄다.

사망자가 나오는 확률은 다소 적었다. 위력을 줄인 피스메이커탄이 많이 활용 되었고, 직접적인 전쟁과 전투라기 보다는 제압에 가까웠다.

그러나 그럼에도 불구하고, 압도적인 화력으로 쏟아붓는 와중에 부상자의 수는 어마어마했다. 그들을 과연 멕시코 정부가 다 처리할 수 있을지 의문이 갈 정도로 말이다. 꼭 모든 이들이 사회 안전망의 도움을 받아야 하는 것은 아니긴 했다. 그들 스스로가 그 안전망을 부수어대며 살아왔기에 말이다.

멕시코 암흑가의 공백은 주변 남미의 갱들에게 영향을 주었고, 얼마 지나지 않아 다시 그들이 영향력을 발휘할 것이다. 그러나 그러기 전까지는 일시적으로, 치안이 확보된 건 사실이었다. 점퍼 조직과 여러 연합들은 얼마든지 이 짓거리를 반복할 의지가 있었다.

그 외에 한국에서 일어난 사건은 인터넷 상에서 많은 각색을 거듭하며 전 세계로 퍼져 나갔다. 정보란 비대칭적이다. 당연히 어느 한 쪽에게 중요한 정보가 있다면, 혹은 소수자만이 알고 있는 정보가 있다면 굳이 그것이 퍼져나갈 이유는 없었다.

그러나 그런 비대칭성이 사라지고, 점퍼에 대한 이야기가 많은 이들에게 알려졌다. 이미 그것이 존재함이 기정 사실인 것처럼 알려졌고, 무엇보다 한국이 이전보다 더욱 유명해졌다. 서울의 어떤 거리에 무엇이 있는지, 그곳에서 어떤 일이 벌어졌는지. 한국에 그다지 관심이 없는 여러나라들, 제 3세계 국가나 다양한 곳에서 사건으로 인해 서울의 지리가 퍼지게 되었다.

그리고 그런 관심과 소요 가운데, 김수정 역시 점퍼에 대해서 고심하는 한 인간이었다.

"전화를."

할까말까. 그녀는 핸드폰을 들었다 놓았다, 했다.

구태여 말하자면 그렇게 상관이 없을 수도 있었다. 그러나 마냥 넘어가기에는 중차대한 일일지도 몰랐다. 자신의 친한 친구가 현세대에 벌어지고 있는 이슈의 중심지에 있고 그것의 관련자라니. 호기심에 불을 당기는 주제이지 않을 수 없었다.

나름대로 명분도 있었다. 자신과 이미 마주쳤던 순간이동자에 대한 기억을 멋대로 지운 것. 물론 그 과정에서 강압적이고 폭력적인 절차가 있었던 건 아니었지만. 그럼에도 그녀 자신의 기억은 그녀의 것이었다.

자신에게 이루어졌던 부당한 행위에 대해서 보상을 촉구하면서, 그 김에 현재 벌어지고 있는 사태에 대한 진실한 정보를 달라고 한다면 저 마음 약한 친구는 결국 수긍을 하고야 말 것이었다.

그녀는 한참이나 고민을 한 다음에 전화를 걸었다가, 결국 받지 않아서 끊고 말았다.

*

뚜루루루루루루.

통화음이 울렸다. 김민서는 전화를 받지 못하는 상황에 처해 있었다. 눈앞에는 송일우가 있었다. 그가 자신의 멱살을 쥐고서 벼랑으로 밀고 있었다. 벼랑이라기엔, 인위적인 곳이긴 했다. 사실 자연적인 절벽은 아니었고, 빌딩의 옥상이었을 뿐이다.

그러나 떨어지면 죽는다는 점에 있어서는 매한가지였다. 어설프게 설치되어 있는 난간은 사람이 지나쳐 사고가 나기에 딱 좋게 만들어진 모양새였다.

김민서는 그렇게 목덜미를 붙들려 밀어 붙여지는 상황에서도 생각했다. 이 건물은 아무래도 시공 단계에서부터 문제가 많은 듯하다, 고. 세상에 이런 초고층 빌딩의 옥상이 이렇게 허름한 안전 시설로만 이루어진 게 말이 되는가.

지금 그의 목숨을 위협하는 건 당장에 송일우였지만, 결국 건물을 이 따위로 부실하게 지은 건축 계획자 놈 부터가 문제이다-

라는 생각을 하기가 무섭게 송일우가 팔뚝에 힘을 더했다. "켁." 제대로 말이 새어나오지 못할 정도의 악력과 완력이었다. 김민서는 제대로 반항도 하지 못하고 움직임이 걸려 빠져나오지 못하고 있었다. 나름대로, 그래도 4월부터 시작해 주욱 이어져 온 체력 단련과 투기 수련에서 경험이 붙었다고 생각했는데, 송일우를 상대로는 꼼짝도 하지 못하는 게 현실이었다.

여기저기 방향대로 힘을 주어 보려고 하지만 송일우는 그때마다 맞추어 김민서의 몸을 걸레 짜듯 비틀어대며 꼼짝도 하지 못하게 만든다.

조금만 더,

떨어지면 죽는다.

김민서는 이미 철제 난간에 등을 기대고 상반신이 뒤로 넘어가 있는 상태였다. 허리가 아프다. 등에 박히는 쇠대의 감촉이 불쾌했다. 정신이 없다. 정말로 넘어가면 끝장이라는 생각 때문에 호흡이 가빠지고 눈앞이 살짝 어른거리기까지 한다.

"익, 건 뭣, 때문입니깍."

송일우가 김민서보다, 체격이 조금 더 크고 결정적으로 팔이 길었다. 그리고 완력이 우세하고 동작에 대한 이해도가 높았다. 송일우는 김민서의 목덜미를 단순하게 잡고 앞으로 민다. 몸을 비틀어 넣어서 상대의 하체 움직임을 막고 그저 상체를 밀어내면 자세가 나오지 않아 김민서의 팔로는 제압을 뿌리치기가 어려웠다.

손톱이라도 세워서 안면이라도 긁고 급소를 노리려 해도 거기까지 손이 닿지 않았다. 슬쩍 옆으로 비튼 몸 때문에 가랑이라도 노리려 생각이 들어도 각도가 나오지 않는다. 김민서는 천천히 죽음에 가까워졌다. 졸린 목 때문에 말을 하는데, 오래된 음반이 축음기 위에서 튀듯이 새된 소리를 불규칙적으로 냈다.

송일우는 표정이 무미건조하다. 김민서 역시 그리 표정이 많은 축에 속하진 않았지만. 이런 상황에서까지 감정이 없을 수는 없다. 그의 말에 송일우는 곧바로 대답하지 않았다. 그저 힘을 더 줄 뿐.

민서는 송일우의 눈동자를 바라보았다. 별다른 망설임이 없었다. '이 새끼……' 차마 말로 튀어나오지 못하고 속으로 생각했다. 여태까지 잘 지내온다고 생각했건만, 사실 가식이었던 걸까.

버둥거리며 사지를 써보지만 헤어나올 가능성은 그리 크지 않다. 손톱으로 긁어 보려 해도 두터운 가죽 자켓을 입은 상대의 몸에 상처 하나 내기가 어려웠다. 호흡을 가다듬고 상대의 팔에 두 손을 대어 힘을 주려해도 곧바로 목을 조르는 쪽으로 힘이 더 들어온다. 숨조차 쉬기가 어려워졌다.

옥상의 난간에서는 바람이 부는 소리가 선명하게 들려왔다. 김민서는 불길한 상상을 떠올렸다. 아무리 재주가 좋다고 하더라도, 이 정도 높이에서 떨어진다면 별다른 수가 없을 것이다. 다른 곳에서 상황을 바라보는 점퍼, 개중에서도 최길우 같은 자가 도움을 준다면야 모르겠지만.

홍인수는 이 장면을 지켜보고는 있는가. 민서는 순간 여러가지 생각을 했고, 결국 송일우의 눈을 바라보면서 뒤로 밀려나, 떨어졌다.

송일우는 그대로 그의 몸을 난간의 바깥으로 밀어냈다. 중심을 잃은 몸이 난간을 지지대삼아 회전하며 그대로 뒤로 넘어간다.

'억.'

많은 생각이 들지도 않았다. 그저 덜컥, 하고 심장이 내려앉는 듯한 기분이 들 뿐이다. 놀이기구를 탈 때에 그렇지 않은가. 이성이 마비되고 즉각적인 반응이 몸에 다가온다.

민서는 차마 뜨지 못하고, 눈을 감았다.

그리고 수 초.

김민서는 어떤 충격도 없이 바닥에 넘어져 있었다. 등을 기대고 꼴사납게, 늘 익숙하게 부딪혀서 이제는 익숙하기까지 한 점퍼 기지의 훈련실 바닥에 말이다.

제대로 뒤로 넘어진 것이나 마찬가지였지만 훈련실의 내부 자재는 아무리 격렬한 시합을 하더라도 견뎌낼 수 있을 정도로 완충 작용이 대단한 소재로 만들어진 것들이었다.

김민서는 일시적인 충격이야 받았지만 타박상 따위의 부상은 없었다. 그는 천천히 눈을 떴다.

그의 주변에 보이는 건 아까 바라보던 빌딩의 옥상이나, 푸른 하늘이나, 그런 것들이 아니었다. 그는 점퍼 기지의 밀실 내에 있었다. 다만 눈 앞에 송일우가 있는 것은 변함이 없다. 민서는 그 뻔뻔하게 무미건조한 얼굴을 보자 슬쩍 화가 치밀어 오르는 것을 느껴서, 기어코 입을 열었다.

"거 한 두번 더 훈련 했다가는 사람 잡으시겠습니다."

퉁명스럽게 말하는 그의 말에 송일우가, 다시 서글서글한 웃음을 보였다. 처음 만났을 때와는 아주 많이 달라진 모습이다. 실제로 사람의 성격마저 약간은 변하는 지도 몰랐다. 그는 여전히, 충실한 점퍼 조직의 일원이었다.

주변의 환경이 전부 바뀌었다. 그들이 있던 빌딩의 옥상에서 멀리까지 보이는 도시의 경치. 높은 하늘과 구름과 태양. 야외에서 불어오는 거친 바람의 흐름까지. 그 냄새나 촉감 선명한 시야와 움직이는 대로 바뀌는 모든 주변 환경이 거짓말처럼 사라져 있었다.

민서가 떨어졌다가, 맨바닥에서 눈을 뜬 사이에 벌어진 변화였다. 그가 점프를 한 것은 아니었다. 단순히 이 밀실에 부여된 기능 때문에 일어난 일이었다.

점퍼 기지, 조직은 현대 사회에서 상용화된 것들보다 몇 발자국 앞 서 있는 기술을 보유하고 있었다. 다른 선진국이나 단체에서 사용하는 수준일지 모르지만, 어쨌든 점퍼 조직은 그런 단체들 여러 곳과 연합하고 지원을 받고 있었으니까.

지금의 상황도 그런 것 중 하나였다. 거의 현실과 다를 바 없는 가상현실. 이 훈련실 내부로 국한된 현상이었지만, 일시적으로 실제와는 관련 없이 거의 똑같은 감각 속에서 가상현실을 경험할 수 있었다.

김민서가 등 뒤가 아프도록 눌렸던 빌딩 옥상의 난간 손잡이는, 멀뚱히 한 칸 정도 길이로 서 있는 구조물이었다. 플라스틱처럼 무게감 없는 재질로 만들어진, 연극 소품처럼도 생긴 물건이었다.

민서는 저것에 의해 벼랑 끝으로 떨어지는 아슬아슬함을 느끼다가 뒤로 넘어진 것이다. 그대로 1m 아래의 훈련실 바닥이 그를 가볍게 받아주었고 말이다. 뇌진탕이나 타박상은 없었다. 그라운드 격투기술 훈련을 해도 될 정도로 안전성이 높은 소재들이다. 평소에는 이런 바닥과 벽에, 여러가지 보호구를 더 입은 채 훈련을 하지만.

오늘의 훈련은 조직에서 새롭게 설치하고 선보이는 신기술을 사용해 본 훈련이었다. 보다 실감나는 현장 상황을 재현하기 위한 것이었다. 이런 수준 높은 가상현실에, 몇 개의 실제와 유사한 실물들을 더한다면 거의 현장에 가까운 경험을 조직원들에게 더해줄 수 있었다.

교전 상황을 구현한 다음에 안전한 공기총에 고무탄을 넣고 서바이벌처럼 적 역할을 넣어준다면 총화기를 써야 하는 상황도 연출을 해볼 수 있었고. 어쨌거나 가장 놀라운 건 가상현실 내부의 사용자들에게 감각마저 전달을 해준다는 것이었다. 몇 개의 전자 패치 따위를 몸 안 여기저기에 부착을 해야 하긴 했지만.

방금 그가 느꼈던 공기의 냄새는 완벽하게 야외, 익숙한 빌딩의 옥상에서 느꼈던 그 감각과 똑같았다.

조금 전 훈련 상황에서 송일우를 탓했던 건, 그저 간단한 신기술 사용 절차라고 들었건만 쓸데없이 그가 힘을 주어서 괴롭게 했던 탓이었다. 어지간히 적당히라는 말을 모르는 양반이었다.

김민서가 대자로 훈련실 바닥에 누운 채로 천장을 쳐다보며 말했다.

"3대 몇 칩니까?"

자신이 어느 정도의 사내에게 당한 것인지 궁금했다. 반쯤은 헛소리였지만. 송일우는 성실하게 답변을 해주었다.

"600정도 되는 것 같은데요."
"이런 미친……."

민서는 입 밖으로 소리가 튀어나왔다. 일반적인 수치는 아니었다. 저 정도의 힘에 기술도 뛰어났다. 단순히 부피가 큰 근육만 있는게 아니라 순발력도 민서보다 빠르다. 초인인가?

"대체 뭘 어떻게 먹고 움직여야 그런 몸이 되는 겁니까?"

송일우가 웃으면서 답했다. 참 고분고분한 양반이었다. 처음에는 전혀 그렇지 않았지만.

"닥치는 대로 먹고 난 이제 죽었다 싶을 정도로 움직이면 됩니다."

물론 말의 내용은 곱상하지 않았다. 민서는 속으로 고개를 끄덕였다. 과연, 그 정도는 되어야 최소한 납득할 여지의 여지라도 있어 보이는 답변이었다.

"제가 몇 명이 있어야 당신을 이길 수 있을까요?"

그 말에 송일우는 슬쩍 팔짱을 꼈다. 훈련을 짧게 끝났다. 그로서도 놀라운 효과를 보이는 기술이었다. 굳이 쉬고 있는 김민서를 일으킬 필요도 없었고. 그는 남는 시간을 성실하게 답변을 해주고 궁금증을 풀어주는 것으로 보내려 했다.

"어… 제압은 불가능할 겁니다. 어차피. 근력 차이가 많이 나는데다 몸 쓰는 법도 둔하니까. 맨 손으로 정신을 잃게 하려면… 뭐 열 명은 있으면 어찌 되지 않겠습니까. 절대로 쫄지 않는 정신을 가졌다는 전제 하에."

사람 수준은 아니었다. 민서도, 깨나 잘 움직이고 힘이 좋은 편이었기 때문이다. 수 개월간 끊임없이 반복된 훈련은 그를 위기 상황에서 적어도 도망칠 수 있을 만하게는 만들어 주었다. 눈 앞에 송일우같은 자가 나타나더라도 시간은 벌 수 있도록 말이다.

그런 상태로 열 명이서, 죽음을 도외시하고 달려들어야 쓰러뜨릴 수 있다니. 계산법이 다른 양반이었다. 민서는 그냥 간단하게 총을 쓰기로 했다.

"제가 꼭 당신 같은 적을 만난다면 주저 없이 총을 쏘도록 하겠습니다."

송일우가 고개를 끄덕였다.

"그게 낫겠죠. 근데 저는 같은 거리에서 쏴도 당신보다는 명중률이 높을 겁니다."

송일우의 말에 민서는 미간을 찡그렸다. 이 양반이?

아무튼 하루의 훈련이 끝이 났다.

***

생존성은 김민서에게 있어서 중요한 요소였다. 목숨이 오락가락하는 현장에서 적어도, 허무하게 개죽음을 당할 수는 없었으니까. 애초에 점퍼 조직에서 그에게 요구하는 신체 능력도 딱 그 정도였다.

그가 자신의 능력으로 전장에서 생존해 있고, 자신의 능력을 계속해서 발휘하고 있는 것만으로 점퍼 간의 교전에서는 전황이 바뀔만한 일이었으니 말이다.

실제로 '샤오 첸'이라는 인물과의 싸움에서 민서는 중요한 변수였다. 재머의 존재를 인식하지 못했기에 그 폭탄광이 제대로 대처하지 못했고, 약점을 드러내며 결국 물리치기에 이르렀다.

결국 점퍼 조직의 가장 큰 의의는 두 가지로 나눌 수 있었다. 그리고 그중에서도 먼저 꼽아야 하는 목적을 구분하자면 한 가지였다. 사회에 악의를 드러내며 활동하는 점퍼들의 움직임을 막는 것.

점퍼는 점퍼들이 결국 막아야만 했다. 일반적인 대처법 역시 유효할 수 있었으나, 근본적으로 그 동선을 쫓아갈 수 있는 존재는 같은 점퍼 뿐이었다. 한 명의 점퍼가 하나를 막을 수 있는 것을 생각해보면 일반 전력으로는 수십, 수백의 인원들이 동원되도 모자랄 수 있었다.

지대한 낭비가 아닐 수 없었고, 혹여라도 놓친다면 무슨 일을 저지를 지 모르는 것이었다.

그러한 점퍼들에 대한 통제가 완성 단계에 이르거나, 일시적으로 소강 상태에 다다른다면 점퍼 조직이 해야 하는 건 다른 중요 의의의 실천이었다. 현실에 존재하지 않는 것만 같은 초능력을 이용해서 다른 이들의 필요를 채워 주는 것.

세계에는 다양한 사건과 사고, 고난들이 널려 있었고 개중에 순간이동이라는 초능력을 대입했을 때 의외로 적은 비용과 노력으로 해결이 되는 부분들이 있었다. 그런 부분들에 점퍼들이 변수로서 대입되어 문제들을 해결하는 것.

더 많은 부분에서 더 다양하게. 결국 공익을 위하는 것이 점퍼 스스로가 사는 길이었다. 공동체 내에서 그들도 살아가기에 그러함이다.

점퍼 조직이 신경을 쓰는 부분들은 계속 그 두 방향성 사이에서의 전환이었다. 심각한 수준의 범죄를 일으킬 가능성이 있는 점퍼가 발견된다면 그 쪽으로 신경을
집중시키며 조직의 운영 방향을 결정했다가, 미친 초능력자들이 어느 정도 안정감을 보이면 사회적 활동에 촉각을 곤두세웠다가, 의 반복이었다.

수뇌부는 커맨더, 코치가 있었고 그 외에 비 점퍼 인원들이 여

럿 있었다. 개중에 얼마간은 각 단체와의 긴밀한 협조를 유지하는 역할을 맡고 있었고, 혹 어떤 이들은 점퍼들과 관련된 일들만 특별히 처리하는 자들이 있었다.

그런 이들의 일들 중 하나가 전 세계 각국의 빅데이터를 모아 AI를 통해 정리를 시키고, 개중에서 점퍼에 관한 것으로 발전할 여지가 있는 정보를 하루종일 쳐다만 보고 있는 것이었다. 그나마 조금 나아진 편이었다. 옌이라는 레이더가 조직에 참여하고서 말이다.

끝도 없는 망망대해를 조각배로 떠다니는 기분일 것이었다. 드넓은 지구에서 고작 수십 명에 불과한 점퍼들의 흔적을 찾아낸다는 게 말이다. 대부분의 경우는 수색 시도가 허탕을 치기는 하지만. 간혹 마치 초자연적인 이끌림이라도 받았다는 듯이 찾고 닿게 되는 경우도 있었다.

인간사의 흐름이라는 게, 수학적으로만 이루어지지도 않는 법이었다.

그런 점에서 홍인수와 김민서의 만남은 다소 특이한 것이었는지 모른다. 김민서가 가지고 있는 재머로서의 능력이 있었으니. 수학적으로도 어느 정도의 필연성을 가지는 만남이라는 게, 삶에서 얼마나 있겠는가.

김민서는 꿈을 꾸었다. 11월. 어느덧 추워진 날이었다. 주변의 한기에 영향을 받거나, 혹은 깨어 있을 때의 기억 탓인지 꿈 속에서의 배경도 마찬가지로 쌀쌀해진 날씨에 외투를 걸쳐야 하는 상황이었다.

그는 어둡고 검은 공간에 있었다. 눈이 잘 보이지 않는다. 빛이 별로 없는 어두운 골목길, 혹은 방 안. 혹은 조명이 전부 꺼져버린 넓은 광장의 한 가운데일지 모른다.

그가 꿈 속에서 느끼는 건 오로지 춥고 쓸쓸하다, 뿐이었다.

가만히 귀를 기울여보면 바람이 지나가는 소리가 들리는 것이, 공간감이 어렴풋이 느껴진다. 하늘이 높다. 거대한 광장인가보다. 혹은 예전에 다녔던 성현대의 대운동장인가.

그는 말을 멈추고 꿈 속에서 가만히 있었다. 마치 점프에 휘말렸을 때와 비슷했다. 눈 앞이 잘 보이지 않았다. 점프는 일순간의 시력의 상실을 유발했다. 시각은 막대한 정보 입력 장치였고, 점퍼들의 점프는 개인이 인식하는 위치 정보가 필요했다.

시각의 상실로 인해 점퍼들은 텀이 없는 연속 점프에 다소의 제한을 받는다. 그저 아무 곳으로나 움직인다면 사실 제한 없이 움직일 수 있었지만, 정확한 위치로 연속 도약을 하기 위해서는 보조 기구나 질 좋은 암기력, 혹은 주변 동물의 움직임을 파악할 수 있을만한 추리력이 필요했다.

민서는 단체 도약에 휘말렸던 적이 올해 굉장히 많았으므로, 그런 느낌으로 생각했다. 다만 그것보다 조금 더 긴 시간동안 눈이 멀어 앞이 보이지 않았다. 그냥 캄캄한 공간인가보다.

민서는 숨을 크게 쉬었다. 몸의 가슴 어림께를 만져보니 코트를 입고 있었다. 작년에 자주 입었던 코트의 질감이다. 올해는 오래 되어서 버렸다. 어떻게 바로 아느냐면, 그가 입는 코트는 한 벌 밖에 없었으니까다. 그는 이런 류의 옷을 잘 챙겨입지 않았다. 왜인지 챙겨 입는 것만 같은 폼이 나서였다.

돈도 없었고. 누군가한테 눈에 띨만한 일도 하고 싶지 않았다. 그는 어지간해서는 날백수나 혹은 평범한 차림새를 하고 거리를 돌아다닌다. 최대한 정갈하게 꾸며봐야 깔끔하게 입는 정도였다.

그는 아마 갈색의 코트를 입고, 하체의 촉감으로 느껴보면 허구한 날 입고 다니는 청바지를 입은 모양이었다. 발에는 구두와 조금 비슷하게 생긴 운동화인가.

콧속으로 들어오는 공기가 차다. 감기에 걸리지나 않으면 다행이 련만.

하고 그는 꿈속에서 생각했다. 꿈속에서 진실로 감기에 걸릴 일 은 없었다. 그가 이불을 다 걷어차고 창문이라도 열어두고 있는 게 아니라면야. 아니, 정말로 그런가?

아니, 정말로 그런가,

까지 생각을 했다가 민서는 위화감을 느꼈다. 꿈속에서 현실을 인식한 순간 그것은 과연 꿈이라고 할 수 있는가. 흔히들 자각몽이 라 부르는 것일 지도 모른다. 한없이 늘어지는 시간의 흐름 속에서 충분하게 생각을 할 수 있는 상태. 그는 이 시간을 달갑게 받아들 였다.

그러자마자, 머리 위에서 희미한 빛이 나타남이 느껴졌다. 민서 는 고개를 들어 하늘을 보았다. 별처럼 반짝이는 것들이 생겨났다. 하나, 두 개. 혹은 그 이상. 불이 켜지듯 천천히 나타나는 샛노란 별들이 하늘을 수놓는다. 노란색보다는 사실 흰 색이 더 많이 섞여 있는 듯하다.

어쨌든 중요한 것은, 점점이 나타나는 별들이 점묘화의 기법으로 미술가가 찍어내는 그림처럼 수도 없이 늘어나더니 곧 하늘을 가

58

득이 채워갔다는 것이다.

수없이 늘어난 별들은 곧 달처럼이나 주변을 밝히는 듯했다. 별 이상의 빛이었다. 은하수라 불러야 할까. 희귀하고 또 신기하게 빛을 비추는 밤 하늘의 광류였다.

미칠 광이 아니라 빛날 광.

그러고 나서, 그 하늘 어딘가 민서의 머리 위로 달이 하나 떠오르는 듯하다. 희게 빛나며 그 표면이 눈에 담길 정도로 커다란 달이었다. 그와 동시에 그가 어둡다고 생각했던 주변에 빛이 비추어졌다.

운동장이었다. 그가 줄곧 다니곤 했던 성현대의 운동장. 농구장이 있고, 달리기 트랙이 있고, 축구장이 함께 있는 곳. 흔한 대학교의 운동장이다. 많은 이들이 이곳에서 넘어지고 무릎이 깨지고 울고 웃고, 철없는 청춘을 쏟으며 나름의 캠퍼스 라이프를 즐겼다.

땀이나 눈물, 그런 것들과 함께 할 때 비로소 인생이 인생다워지는 것인지도 모른다. 돌이켜보면 자신에게는 그런 것들이 다소 부족했다. 다소.

그런 익숙한 장소에서 생경한 광경이었다. 이런 새벽녘에 아무 일도 없이 운동장에 있는 것은 비현실적인 일이었다. 초자연적인 일은 아니었지만. 자신이 굳이 이런 일을 하지 않는다는 점에 있어서 그러했다.

달과 함께 밝아진 주변 모습.

갑자기 나타난 별처럼, 그가 고개를 돌리는 와중에 누군가의 모습이 생긴 것 같았다.

그야말로 생긴 것 같았다. 다시 눈을 비비고 돌이켜 보아도 원래 있던 것처럼 누군가가 저 먼곳에 자신의 존재감을 드러내고 있었다. 헛것이나 아지랑이는 아니었다. 너무나도 뚜렷했고, 빛의 밝기는 적어도 사람의 형상을 헷갈리지 않을 정도는 되었으니까.

이런 류의 나타남이 현실에서 많이 익숙했다. 그가 점퍼라고 불리우는 사람들과 오랜 시간 함께 했기 때문이었다.

점퍼의 점프는 아주 세밀하게 집중하지 않고, 또 그 JE에 익숙하지 않다면 아무런 전조도 소리도 없이 이루어진다. 또한 분절되거나 그 전체 현상의 딜레이가 되는 일도 없어서 그야말로 원래 그 자리에 있었던 것처럼 사람이 떡 하니 나타난다.

그래서 처음 홍인수를 바라보고 그렇게 놀랐던 것이었고.

아니, 목부터 해서 천천히 사람의 형상이 허공에 나타났다면 더욱 놀랐으려나. 그것 그것대로 기괴할 것 같았다. 순간이동이 한 명에게 한 번에 일어나는 일이 아니라 부위별로 이루어진다면 그 단면은 대체 어떻게 상상을 해야 할 것인가.

아무튼 사람의 형상은 갑작스럽게 나타난 것이었다. 민서가 있는 것이 운동장의 한 가운데였고 '그'가 저 멀리 끄트머리에 있었다.

그리고서, 별이 점점이 많아지듯이 사람들 역시 늘어났다. 눈을 깜빡이거나, 잠시 생각에 잠겨 앞을 바라보지 못하는 순간마다 금새 늘어나 있었다. 깊게 숨을 들이마셨다가 내쉬는 정도를 한 열 번, 스무 번 반복할 즈음의 시간이 지나자 운동장에 손가락으로 세기 어려운 이들이 있었다.

마지막에는 열 명, 스무 명, 수십 명의 인원들이 나타나기 시작했다.

저각각 다르게 생긴 이들이었다. 가까이에 보이는 이는 동양인 노인이었다. 멀리는 서양인 아가씨. 그 뒤로 어린아이도 있다. 한 중학생 즈음인가. 남자, 여자, 건장한 자, 왜소한 자. 늙은 자나, 혹은 젊은 자. 준수한 자나, 평범하게 생긴 자. 드레스를 입은 여성도 있었고, 양복을 입은 남성도 있다. 누군가는 뜬금없이 소방복을 입고 있었다. 화마와 싸우기 위해 입는 현장복이었다. 길게 늘어진 덮개가 목과 상반신을 가리는 두터운 방화복.

군인도 있었고. 누가 보아도 학생처럼 보이는 이도 있었다.

갑자기 운동장에 드러난 사람들이다. 민서는 그들에게 둘러 쌓여 있었다. 말했듯, 별들처럼 순식간에 늘어났다. 이들 모두가 점퍼라고 한다면 현실이라 할 지라도 말이 되는 일이었다. 다가오는 기척도 없이 그 곁에 다가와 있는 이들.

민서는 경계심이나 불안감을 느끼지는 않았다. 그들의 표정 또한 썩 그리, 경계심을 품을만한 것은 아니었다. 적대적이거나 사나운 기세를 보이는 이들은 없었다. 그냥 그 자리에, 자신의 자리에 있다는 듯 편안하게 서 있을 뿐이다.

은은하게 웃는 양반도 있는 것 같았다. 사람들의 얼굴을 이렇게 찬찬히 살피는 것도 굉장히 꽤나 오랜만인 일이었다. 티비 속에 비추어지는 방송인의 표정조차 이토록 심도 깊게 살피는 일이 적었다. 부모님을 만난 지도 서울에 올라오고 나서 꽤나 오랜 일이었고.

가장 최근에는 그나마 김수정의 얼굴을 몇 초인가 지긋이 들여다본 게 오래도록 본 일이었지.

홍인수는 제대로 살필 겨를이 없었다. 보통 그와 있다 보면 정신 없이 날아다니거나, 뛰어 다니거나, 혹은 날려져서 바닥을 구르는 일이 많다. 즐거운 일이었다, 제법.

지루한 일상에 몸을 쓰는 것도 나름대로 신나는 일이다. 다른 잡다한 것들을 신경쓸 겨를도 없어지고.

아무튼 어느덧 인파라 부를 만한 것에 둘러쌓인 민서는 딱히 무언가 하질 않았다.

그냥 그런 기이한 꿈이었다. 누군가에게 둘러 쌓이는.

요새 스스로가 외롭다고 느끼는가. 다른 사람들의 필요성을 느끼기 때문일지도 몰랐다.

민서는 굳이 심도 깊게 꿈의 해석을 파보지는 않았다. 그냥 그 정도로만 생각했고,

곧 꿈에서 깨었다.

"......"

눈을 뜬 그를 반기는 것은 한결같은 천장이었다. 닳고 닳도록 수많은 1인칭 소설에서 쓰인 문장이었다. 친숙한 집의 방이라는 건 지겹고도 안도감이 드는 장소였다.

그리고 민서는 잠에서 깬 채로 곰곰이 잠시 생각을 했다.

어느새 걸어 차서 멀리 있는 이불 때문에 드러난 몸이 으슬거렸다.

"…재밍 능력이 최고조에 다다른다는 이야기인가."

굉장히, 설득력이 높은 이야기였다.

홍인수를 끌어왔던 것처럼, 이대로 재밍 능력이 극한까지 개발이 된다면 그는 앉은 자리에서 전 세계의 점퍼들을 불러모을 지도 몰랐다.

사용하기에 따라 굉장히 유용한 힘일 지도 모르지만, 민서 개인에게 있어서는 참으로 번잡한 상황이 될 수도 있었다.

아무 곳에서나 순간이동을 해대는 작자들이 그 때마다 자기 옆에 모습을 나타낸다니.

*

윤민혁은 거의 상처를 입은 짐승처럼 굴고 있었다.

무엇이 상처를 받았느냐, 물을 때 그의 몸을 살핀다면 그다지
흔적을 발견하지 못할 테였다. 그가 잃어버린 건 자존심의 일부였
다.

그는 원래 계획적인 사내였다. 거침이 없던 사내이기도 했고.

젊은 시절에는 아프리카 대륙의 전쟁터를 누비고 다녔다. 총알의
사이를, 비록 제 몸으로는 아니지만 점프 능력을 이용해서 마음껏
날아다녔다. 그리고 수많은 이들을 잡았고, 또 자신의 능력을 활용
해 전쟁터에서 활약했다.

한 번 '조직'에 속한 추격자에게 당해서 경고를 받고 누그러들
었지만. 많은 세월이 지나 다시 다른 이들을 모았다.

'팀'을 갖추어서 한 번에 쉽게 당하지 않도록 구조를 갖추었다.
일정한 시기마다 서로 연락을 취하고, 이상이 생긴다면 곧바로 알
수 있도록 했다. 유기적으로 움직였고, 긴밀한 협조를 만들었다.

거기다 점퍼들만이 아니라, 비슷한 일들을 꾸미고 진행할만한 뒷
세계의 이들을 만났다. 어찌 보면, 점퍼 조직이 만들어지는 과정과
도 비슷했다. 결국 큰 일을 도모할 때의 양상이란 게 대개 대동소
이한 걸지도 몰랐다.

소수의 통제 가능한 엘리트 인력을 자신의 주변에 몰아넣고, 그
것들을 자원 삼아서 규모 있는 단체와 접촉해서 대규모의 계획을
그려 나간다. 카리스마 있는 한 명이 대단위의 사건을 제어할 때
취하기 좋은 형태였다.

그러나 어쨌든 개박살이 났다. 점퍼 조직의 추격자에 의해서. 젊
은 날에 그가 당했던 것과 마찬가지였다. 조직은 자신의 예상이나
준비보다 늘 앞서 있었고, 수준 높은 양질의 재원을 만들어내는데
성공했다. 애초에 그래서 모습을 감추고 행동을 하려 했던 것이었
는데.

그것마저 그리 쉽지가 않았다. 이전에 비해서 세상이 좀 더 촘
촘해졌다. 도시에서 움직여야 할 때는 어쨌든 수많은 디지털 기기
와 사람들의 눈을 피해서 일을 벌여야만 했다. 전자 상의 흔적이나
거래 기록 따위도 덜미를 잡히기가 쉬운 것이었다.

수 많은 사람들이 있지만, 집요하고 미친- 추적자들의 눈에 든
다면 가끔 이렇게 어이 없이 뒤를 잡히기도 하는 것이다.

그리고 많은 이들에 의해 초토화가 된 것도 아니었다. 고작 한 명. 중요한 건 한 명이었다. 아마 조직의 전투 요원일 것 같은 한 명의 점퍼에 의해서 한 장소에 모여 있던 팀원들이 와해되었다. 그 자신은 그 다음에 따라 붙은 다른 젊은 요원에게 붙들렸고.

나이를 먹었다지만 결국 그렇게 지고 만 것도 사실은, 분한 일 이었다. 인생이 경쟁의 일은 아니었지만. 그는 아직도 불타오르는 젊은 날의 치기가 있을 정도로 철없는 사내였다.

그 치기가 젊은이의 패기에 눌려 사그라들었을 때의 패배감은 나름 쓰디쓴 것이었다. 그러고도, 또한 이렇게 붙잡힌 처지가 되어 서 위치조차 알 수 없는 섬 속의 감옥에 처박히는 일도 말이다.

감옥은 철저한 구조로 이루어져 있었다. 위치 센서를 붙인 뒤 다녀야 해서 정해진 구역을 벗어나면 일정 세기 이상의 전류 찜질 을 당해야 한다. 죽거나 후유증이 남을 정도는 아니었지만 강력범 에게 가해지는 처벌이라고 생각한다면 그야말로 적절한 수위였다.

그리고 감옥이 있는 섬을 관리자의 키 없이 벗어나게 된다면, 늘 차고 다녀야 하는 손발목의 구속구가 그대로 폭발한다. 아마 응 급 의료 기관이 있는 곳으로 곧바로 이동을 하지 않는다면 그대로 실혈사나 쇼크사를 하게 되지 않을까 싶은 물건이었다.

이는 점프를 이용해도 당연히 마찬가지였고, 구속구 내부의 센서와 AI가 실시간 위치 데이터를 받고 메인 CPU로 전송을 한다. 정해진 입력값 외의 위치 데이터가 들어가게 되면 가차 없이 터지는 것이다.

아마 도약지에 도착하는 순간 날아갈 테다.

섬에 있는 기지의 기후는 그리 나쁜 편이 아니었다. 아이러니하게도. 그저 적도에서 약간 떨어진 대양의 어딘가가 아닐까 짐작할 뿐이었다. 별자리나 여타 기후 시기를 살폈을 때 태평양 어딘가의 무인도가 아닐까, 생각이 되었다.

그가 예전부터 숨겨두고 은밀하게 사용하던 도피처의 근방과 비슷한 날씨였다. 이런 처지가 아니라면 여유롭게 휴양이라도 즐겨도 좋을만한 날씨의 연속이었다.

식사는, 장기적으로 봤을 때 건강에 이상이 없는 정도로만 주어졌다.

도회적인 디자인으로 지어진 감옥 건물은 여러 개의 동으로 나누어져 있었고 각 동에 있는 흉악범들은 자신들의 구역 외의 공간으로 넘어가지 못한다. 하루 중에 그가 만나는 것은 감독관을 제외한다면 아무도 없었다. 그저 끝없는 적막감 속에서 밥을 먹고, 지루한 운동을 조금 하고, 여러가지 생식 활동을 설비를 이용해서 마친 뒤 정해진 시간에 잠이 든다.

자신이 정신적인 활동에 도가 텄다고 할만한 인물들도 몇 개월 안에 미칠만큼 조용한 곳이었다. 사람에게 가장 적절한 건 사실 약간의 소음이었다. 주변에 사람이 있다고 느껴질만한 레벨의 적절한 소음. 완전한 침묵은 시끄러운 고성만큼이나 가끔 정신적인 스트레스를 유발한다.

아무도 없는 외딴 자연에 던져 두더라도 이 정도는 아닐 것이다. 완벽하게 통제된 환경 속에 지어진 두꺼운 콘크리트 속 감옥은 인위적인 고요 속에서 수감자들의 정신을 피폐하게 만들었다.

특별한 고통을 주지 않는다는 점에서 아주 안락할 지도 몰랐다. 그러나 이곳에 오는 이들은 대부분 도회적인 생활과 사치에 익숙한 이들일 확률이 높았다. 자신의 능력을 부당하게 이용해 많은 이익을 취했을 확률이 높다.

윤민혁 외에도 몇 명의 점퍼들이 더 있는 것으로 알고 있다. 사실 그가 아무것도 하지 못한다고 해도, 점프를 이용하면 아주 약간의 활동은 가능했다. 점프의 시행과 취소의 반복이었다. 그가 설령 온 몸을 구속당한다고 해도 본질적으로 보유한 JE의 움직임을 막을 수 있는 기술은 아직 현대에 어느 곳도 보유하지 못한 것이었다.

그의 점프를 제한하는 것 역시 점프 자체에 대한 구속이 아닌 위치 데이터를 기반으로 한 폭탄일 뿐이다. 결과는 마찬가지였지만.

감옥 내에서 점프를 구사하는 건 법칙의 위반이었다. 그걸 곧이 곧대로 지켜줄 생각은 없었지만, 강박적으로 강력범들을 통제해야 하는 입장에 있는 간수들을 자극해서 불이익을 받을 생각은 없었다.

그러나 움직이지 않고 점프를 시행했다가 그 과정에 취소한다면 몇 가지 정보를 얻을 수 있다. 해당하는 도약지에 어떤 물질이 어떤 모양으로 있는가. 시각과 비슷하다. 그 물질의 형질은 알 수 없지만 외곽선과 밀도 정도는 어렴풋이 알 수 있었다. 내부 정보를 안다는 점에서 x-ray따위와 비슷할 지도 모른다.

그가 한 번에 알 수 있는 체적은 그의 몸의 체적과 거의 동량이었으나, 그에게는 지겹도록 많은 시간과 지루함이 있었다. 오랜 시간 반복한다면, 심지어 이것은 JE를 거의 소모하지도 않으니 마냥 반복할 수 있었다. 까딱해서 요령이 없다면, 점프를 시행하는 것과 비교해도 유의미한 수준의 JE의 손실이 일어날 수도 있었다.

더욱 요령이 없다면 실제로 점프를 해서 전류 찜질을 한동안 계속 당해야 할 지도 모를 일이었고.

감옥의 크기는 제법 거대했다. 대형 병원 수준은 되는 듯했다. 외딴 곳에 사람들을 모아 놓고 오랜 시간 외부와 차단된 채 지내야 하니만큼, 충분한 비상 물자나 자체 공급이 가능한 발전 장치 따위의 여러 시스템들이 필요했을 테니 말이다.

개중에서 수감자들이 실제 사용하는 부분은 그리 크지 않았다.

그는 이 감옥 안에 그를 제외하고 약 20여 명의 범죄자들이 있는 것을 발견했다. 20여 명이라 한 것은, 때때로 그들이 위치를 옮기기 때문이었다. 그처럼 평생 이곳에 갇혀 있는 건 아닌 것인지. 혹은 어떤 사법 거래 비슷한 것으로 외부와 이 곳을 왔다갔다 하는 것인지. 그 정도의 인원들이 넓은 공간에 따로 퍼져 있었다. 그런 범죄자들을 관리하고 시스템을 점검하는 조직의 인원이 약 80명 정도.

과한 인원으로도 보이지만 이곳에 있는 이들의 위험성을 생각한다면 또 적절한 수치일 지도 몰랐다. 저들 또한 매번 이곳에 기거하는 건 아니었고, 로케이션을 돌듯 인원 구성이 바뀌는 것 같았다.

그런 JE를 이용한 탐색은 다른 이에게도 영향을 미친다. 예민한 이거나, 혹은 점퍼라면 그의 활동을 알아챌 수 있는 것이다. 그가 도약을 발휘한 그 장소에 상대가 있다면. 이를 통해서 감옥 내에 그 외에 잡혀 있는 점퍼들이 한 일곱 명 정도인 것을 발견했다. 나머지는 반응이 달리 없었다. 점퍼임에도 일부러 반응을 드러내지 않는 자들이 있을지도 모르겠으나.

그가 앉은 자리에서 섬 내부의 구조도를 머릿속에 넣으면서도, 탈출 계획 따위를 함부로 짜지 못하는 것은 의외로 그의 손발목에 걸려 있는 작은 구속구의 완성도 때문이었다. 검은 색으로 칠해진, 이음새 하나 없이 매끈한 외곽을 드러내는 구속구는 제법 묵직하다. 내부는 반도체 칩셋이나 전류 발생기, 화약 따위가 들어 있는 듯하다.

슬슬 건드려 보며 짐작하기로는 그 밀도가 심상치 않다. 일부러 몇 번인가 넘어져 본 적도 있었지만 그 때마다 어떠한 흠집도 나지 않았다. 대강 짐작하기에 강철이나 그 이상의 강도일지 몰랐다.

따로 열쇠 구멍조차 없는 이것은 관리자가 가진 키로 인해서, 그가 다가와 직접 제스쳐로 인터페이스를 입력하고 해제하는 수 뿐이었다.

거기다가 관리자가 가진 '키'라는 전자 기계는 아마 관리자의 생체 신호와 연결이 되어 있는 듯하다. 그가 별다른 예비 조치 없이 심대한 생명활동의 위협을 받는다면 아마 그대로 구속구가 터지는 것 같았다. 그가 수개월간 입을 다물며 얻은 미약한 정보들이었다. 허튼 짓을 저지르지 않도록 간수들이 어느 정도, 정보를 흘리는 것도 있었다. 모든 게 진실이라고 생각하기도 힘들었지만. 점퍼 조직이라는 알 수 없는 단체의 깊이를 생각해본다면 썩 말이 안되는 것도 아니었다.

불확실한 조건에 목숨을 걸 정도로 윤민혁은 당장 큰 충동을 느끼지는 않았다.

이 작은 구속구가 그런 강도나 안정성을 가진 게 아니었다면 그는 곧바로 이 감옥에 불이라도 지르고, 소란이라도 피운 뒤 무너뜨리고 유유하게 탈출을 했을 것이다. 소란 속에서 무형물인 키만을 챙겨서 구속을 풀고, 그대로 사라지면 누가 그를 잡을 수 있겠는가.

아마 대부분의 먼저 잡혀온 점퍼들 역시 비슷한 생각을 했을 테였다. 실행하지 못한 것에는 무언가 이유가 있는 법이었다.

뭐… 외부에 응급 의료 처치가 가능한 외과의가 있어서, 바로 그에게 이동을 한다면 혹시 모르겠다. 사지의 말단이 파괴된 상태

에서 그를 살려낸 다음 의수와 의족이라도 달아야 할까. 감옥에서
차야 하는 구속구가 목에 거는 종류가 없는 것이 다행이었다.

윤민혁은 그런 상황에 처해 있었다. 그는 아마 이대로, 평생을
이곳에 있어야 할 테다. 사회적 분란을 일으키려 했던 팀의 창단자
였고, 이전에 조직으로부터 한 번 경고를 받았던 이력조차 있으니
말이다. 무엇보다 그가 가진 실행력이나 수완이 큰 경계심을 샀다.
아마 그를 다시금 감옥 바깥의 세상으로 내보내주지는 않을 것이
다.

지루한 하루 속에서, 주어지는 정량 혹은 소량의 식사를 먹고,
독방에서 천천히 먼 죽음을 상상한다. 인간으로서 생각해볼 수 있
는 가장 끔찍한 삶 중 하나였다. 무엇하나 해낼 것이 없이 그저
시간을 죽인다는 게.

그가 멸치볶음 덮밥에 된장국을 먹고, 씻고 독방에 앉아서 밤을
새려 할 때 였다. 밝은 달이 그의 창가 창살 사이를 미약하게 비
추었으나 그의 처지를 낮게 하기에는 다소 부족한 불빛이었다.

***

*

그가 근래에 자주 불리는 이름은 '보스'라는 것이었다. 어떤 회사의 오너나 조직의 수장은 아니었다. 그가 하고 있는 일은 아주 소수의 인원들과 나누는 계획이었고, 직접적으로 그와 맞닿는 이라고 해봐야 고작해야 손가락에 꼽는다.

그 중에서도 특별히 호칭을 듣는 경우는 한 사람에게서였다. 어릴 적부터 많은 시간을 보내 온 대상이었다. 굳이 따지자면 대부와 후견인의 관계에 가까울 것이다. 개인의 야욕을 위해 목적을 가지고 키워 낸 인물이었지만. '보스'의 입장에서 헛소리를 한다면, 말하자면 그가 정성 들여서 만들어낸 예술 작품이나 마찬가지였다. 그를 보스라 부르는 존재는 말이다.

자신의 모든 세심함을 다 기울여 깎아낸 명품이었다. 다른 목적을 위해서는 잘 사용하지 못할 정도로 모양을 만들어버린 말이다.
단 한 가지 용처를 노리고 만들어낸 날카로운 칼이나 마찬가지였다. 정확한 사용방법으로 눌러 찌르지 않는다면 날이 견디지 못하고 부러질 정도로 사용법이 까다로운.

그런 것에 마음을 쓰는 편은 아니었다, 사내, 보스는 말이다. 한 인간의 인생을 불의한 목표를 위해 송두리째 바꾸어버린 일에 대해서.

보스는 박사였다. 미국 학계에서 학위를 취득한. 본디 그는 점퍼 조직의 일원이라 할 만한 자였다. 그리고 점퍼 조직과 닿아 있다면, 나름대로 실력이 뛰어나고 남다른 점이 있는 재원이라는 이야기였다.

제한된 자원으로 최고의 결과를 내기 위해서는, 결국 더 방대한 규모의 사회인 점퍼 조직 외부의 협력 단체에서 재원들을 추리는 수 밖에 없었다. 점퍼의 수가 제한되어 있고 더 희소하며 귀중한 자원이었으니 말이다.

그는 수 많은 학자들 중에서 나름의 창의성과 빛나는 지성을 인정 받은 젊은 천재 중 한 명이었다. 정확히는 이었었다. 지금의 그는 학구자로서의 길보다는 꼼수를 부려 이득을 얻으려는 교활한 사기꾼에 가까웠다. 그가 계획하고 있는 일의 본질은 말이다.

그러나 적어도 지금 하고 있는 일들에 이전까지 쌓아왔던 학문적 지경과 인맥들은 써먹고 있었다.

예컨데 지금 그가 가지고 있는 한 물건이 그러하다.

그는 막대기처럼 보이는, 검은 색의 조각을 갖고 있었다. 그가 있는 곳은, 예의 그 폐건물이다. 필리핀의 어느 외딴 섬, 한 구석에 있는 오래된 건물.

얼마간 청소를 해서 그래도 사람이 지낼 수 있는 정도로는 실내를 만들어 둔 공간에서 그는 바람이 시원하게 부는 자리에 적당히 걸터 앉아 플라스틱 바를 주무르고 있었다. 정확히 말함면 플라스틱 바는 아니었다. 얼핏 그렇게 보이는 매끈한 재질이었지만, 그것보다 훨씬 단단하다.

툭, 툭, 툭.

그것이 그의 연구 대상이었다. 과학적 목표를 위해 파고드는 대상은 아니었다. 어떤 일을 꾸미기 전에 해야 하는 선결 과제에 불과했다. 그리고 그 어떤 일 역시, 세계 발전에 이바지하는 종류의 것은 아니었다. 보스 개인의 야욕에는 이바지를 하는 편이다.

그것은 사실 '점퍼 조직'이라 불리우는 비밀 조직에서 흔히 쓰는 물건이었다. 단단한 물질을 만들 때 재료로 삼는 것이었고, 화공학 계열, 소재공학 계열에서는 거의 신세기의 발견이라 할만한 물질이었다.

여태껏 시중, 일반적인 대중들에게는 선보이지 않은 물건으로 소수의 연구실과 선진국들 정도만이 연구 결과를 공유하며 양산화를 노리고 있는 물질이었다. 제작 단가가 비싸고 아직 원활하게 사용할 정도는 못된다. 그러나 다소 비싼 가격을 치루고, 써야할 곳들에 제공을 하는 것 정도는 가능했다.

단적으로 점퍼 조직이 개중 하나였다. 이것으로, 보통 범죄자라 불리는 점퍼들의 구속구의 외형을 만들어낸다.

무섭도록 단단하고 질긴 물질. 어지간해서는 끊어지지 않는 이것은 강철이나 합금보다 단단했다. 원활하게 공급만 된다면 당장 내구성이 필요한 모든 분야에 제공이 되어야 할 것만 같은 물건이다.

이와 비슷한 소재로 점퍼들의 방호복, 방어구 또한 만들어진다. 전투에 앞장 서는 점퍼 요원들이 입는 방탄 피복과 헬멧 따위를 만들어내는데 역시 쓰인다.

무게에 비해 압도적으로 높은 내구성과 방어력을 가진 소재였고, 이것을 부수는 것은 거의 불가능에 가깝다. 특히 어떤 도구도 주어지지 않는 '점퍼 감옥' 내에서의 환경에서는 말이다.

이것으로 외형을 감싼 고성능의 전자기기, 곧 폭발하는 구속구 때문에 감옥 내의 점퍼들은 모두 자유를 잃어버린 상태이다. 보스는, 자신의 목적을 위해 그들에게 자유를 주고 싶어서 이 소재를 유심히 살피는 중이었다.

툭, 툭. 가볍게 움직이지만 두드리면 쇠막대기나 비슷한 소음이 난다. 그는 그것을 한참 바라보고, 매만지고, 심지어 냄새를 맡고 혀끝조차 대어 보았다. 과학자라 하기에도 기괴한 짓이었다. 그는 가끔 심취한 채로 이상한 행동들을 자행하고는 했다.

이것을 구하는 데, 예의 그 학자로서의 경지나 인맥이 필요했다. 여간해서는 필요처 외의 곳으로의 반출이 불가능한 물질인데다 일단 손에 쥐어보는 것조차 많은 절차가 필요했다. 그러나 그가 학자로서 쌓아 온 인맥은, 그런 소재공학계의 천부적인 재능을 가진 학자들 역시 분포하고 있었고, 이런 물건을 직접 만드는 공급자에게 아주 소량을 빼오는 것 정도는 가능한 일이었다.

그는 고심한다. 이것을 부술 수 있다면, 점퍼 조직에서 구류하고 있는 이들 중 유용한 자들을 마음대로 빼돌려 멋대로 부려먹을 수 있었다. 자유를 되찾은 범죄자가 과연 자신의 통제에 따른까하는 불안은 남았지만, 그에게는 뒤가 없다는 점 또한 유효했다. 그들이 멋대로 날뛰며 소란을 일으켜준다면 그걸로 좋다.

혹은 점퍼 조직에 두려움을 갖고 지레 용기를 잃어 숨어버린다면 더 이상 할 말은 없었지만. 그의 조건은 그것이었다. 충분한 능력을 갖고 있을 것. 그리고 점퍼 조직에게도 대항할 수 있을 정도의 배짱이 있을 것.

그런 대상은 그가 알기로, 가장 최근에 감옥에 수감이 된 인물이 있었다.

'윤민혁'.

점퍼 조직 내에도 아직까지 연줄이 있는 그는 친근한 몇 마디 말로 여러가지 정보를 얻어낼 수 있었다. 비점퍼 요원들에 국한된 일이었지만, 그들이 행정적 사무를 모두 처리하다보니 정보가 샐 수 밖에 없었다. 그리고 그런 이들에게 말을 하면서 자연스레 몇 가지 정보를 꾀어 내는 것이다.

어쨌든 윤민혁에 대한 정보는 입수를 했다. 대담하게도 점퍼 조직의 운영에 정면으로 대치되는 활동을 했던 이이다. 어떤 점에 있어서는, 보스 그 자신의 선배라고 해도 좋을 정도였다. 지금 자신이 벌이려는 짓을 먼저 시도했고, 활약하다가, 꼴 좋게 실패한 인물이었다.

그러나 반면교사로 삼을 것들은 무수하게 많을 테였다. 절망감에 어른거리는 그 정신을 빼앗아 점퍼 조직에 대한 불만으로 치환한다면 막대한 전력이 되어주기도 할 것이었고.

그동안 소재의 일부를 가지고 별에 별 것들을 다 해보았다. W31강금속이라 불리는 이 물건은 그가 구사할 수 있는 대부분의 물리력을 무효화시켰다. 단순하게 떨어뜨려도 보고, 돌로 찍고, 불에 태우고, 유압 프레스로 누르고, 기계적인 집게의 힘을 빌어 양쪽에서 당겨보기도 했다. 그 모두 상당한 크기의 힘, 그러니까 사람으로는 결코 낼 수 없는 수준 까지를 검사하셨지만 별 일은 없었다.

망치나, 소총, 화염방사기나, 급격한 온도 변화 등. 여러 종류의 충격들을 가했지만 소재는 놀라울 정도로 튼튼했다. 이런 소재로 만든 방어구들이 있기에 점퍼들의 생환율이 기하급수적으로 올라간다.

지금 조직의 대척점에 서 있는 입장으로서는 그만큼의 어려움을 부과하는 방해물에 불과했지만 말이다.

툭툭툭.

한 손 뼘만한 정도 길이에, 3-4cm정도 되는 너비의 막대기였다. 보스는 그것을 가벼운 자를 다루듯 손 안에서 굴리다가, 이내 손아귀에서 놓았다. 이건 이대로는 답이 없었다. 일반적인 상식이나 과학의 상리 안에서 당장 쪼개기 어려운 물건이었다. 뭐 물론 강력한 폭탄 따위를 쓴다면 손상이야 있기는 할 것이다. 그런데 그만한 폭발력과 충격을 주어서는, 구속구를 벗게 하기 위해 해체한다는 의미를 상실한다.

구속구의 형질은 특이할 정도로 질기고 단단한 것이었고, 그것이 폭발할 때는 여러 개의 부위가 맞물려서 만들어진 형태가 풀어지며 내부의 폭발력이 온전히 드러난다. 구속구의 대강의 메커니즘이나 실물 역시 본 적이 있는 보스는 고민에 고민을 거듭하다가 한 가지 수 밖에 없다고 결론을 내렸다.

현실적인 선에서 방안이 없다면 비현실적인 수단을 사용하면 그만이었다. 마침 그의 손아귀에는 특수한 능력을 지닌 '점퍼'가 있었고.

*

W31강금속. 속칭 '스페셜'이라고도 불리는 소재는 일반적인 방법으로 깨뜨리는 것이 지극히 어려웠다. 그러면 일반적이지 않은 방법을 사용하면 된다.

보스는 자신의 말을 따르는 청년, 을 이용했다. 그는 자신의 위치와 관계없이 타인을 공간이동 시킬 수 있는 능력자다.

해체에는 약간의 인원이 필요했다. 하나의 물체를 분리하는데 두 명이면 된다. 두 쪽으로 나눌 것이라면 말이다.

그는 청년을 이용해 일단 한 명의 조력자를 자신이 있는 필리핀 무인도 어딘가의 폐건물로 불러왔다. 보스는 비단 청년만이 아니라 많은 이들을 턱짓으로 부리고 있었다. 보안이 중요한 일이었지만, 나름대로 꽤나 큰 조직 비슷한 것을 만들어 다루고 있는 중이었다.

그가 연락하고 다루는 이들은 서로에 대해서는 알지 못했다. 그저 각각의 일을 하는 점조직의 형태였고, 보스만이 전체적인 계획을 늘 알고 있을 뿐이다.

다양한 일들을 할 때 보조로 쓰는 인물이었다. 보스가 청년을 통해 불러온 인물은.

청년과 이야기를 할 때는 국제 통신이 가능한 위성 전화기를 이용하는 편이다. 그가 지시 사항을 짧막하게 텍스트로 보내자 청년이 얼마 지나지 않아 이행을 했다. 그가 앉아 있는 폐건물의 구석. 정확하게 그 몇 걸음 앞으로 사람의 모습이 나타난다.

나타난 이는 동남아 계열의 청년이었다. 곱슬 머리에 까무잡잡한 피부. 마른 체형에 명령에 따른 행동이 잽싼 인간이었다.

필리핀 인인 남자는 보스의 얼굴을 보더니 꾸벅 고개를 숙였다. 말이 많은 사내는 아니었다.

보스는 말없이 자신이 들고 있던 검은 바, 를 내밀었다. 남자는 그것을 눈치껏 반대편에 손을 대어 잡았다. 가지라는 뜻인가 싶어 힘을 주었지만 보스 역시 잡은 손을 놓지 않는다.

그렇게 두 명이서 강금속을 잡고 있다. 보스가 텔레포터에게 보냈던 지시 사항은 조금 더 길고 복잡한 것이었다. 필리핀 인을 내가 있는 폐건물로 보내고, 약 1분 뒤에 이동시켜라.

두 사람은 검은색의 바의 양 끝을 손으로 슬쩍 쥐고 시간이 가기를 기다렸다. 얼마 지나지 않아 1분이 지났고, 지구 어딘가에 있을지 모르는 텔레포터가 필리핀인 청년을 자리에서 옮겼다. 그가 옮겨진 위치는 그리 멀지 않았다.

딱 한 걸음 뒤. 거리로 치면 보스가 바라보는 쪽으로 1m 움직인다.

두 명의 사람이 한 가지 연결된 물건을 잡고 있다가 이동을 한다. 점퍼가 이용하는 도약의 범위는 어디까지 미치는가. 점퍼의 몸 바깥, 약 3-5cm정도의 짧은 범위로 보고 있었다 보통은. 그리고 특별히 손으로 쥐거나 들고 있는 물건의 경우는, 개인의 소유물로 인식이 되어 같이 이동하는 것이었고.

자신이 완벽하게 무게를 지탱하지 않고 함께 쥐고 있던 물건이 있다가, 이동을 했을 때 점프는 그 물건에게 일부만 영향을 끼쳤다. 정확하게는, 한 남자가 잡고 있던 '스페셜' 바의 말단을 시작으로 일부가 같이 공간을 이동했다.

점퍼의 점프는 그 자체로 초자연적인 힘이었고, JE에 연관되어 움직이는 법칙은 가공할만한 힘이었다. 그 말은 그 소재의 물리적인 강도와 상관 없이, 공간이동 간의 단절부에 속한 물질은 잘려나간다는 이야기였다.

생명체에게 해당 되는 이야기는 아니었고, 손에 들 수 있는 크기의 물질을, 1회의 도약 횟수를 소모해서 가능한 일이었지만 어쨌든 한정적으로 세상에서 가장 날카로운 칼을 얻은 것이나 마찬가지였다.

대인 전투에서 공격적으로 사용할 수는 없었지만, 충분한 시간을 두고 손에 들어오는 물건을 부술 필요가 있을 때 써 먹을만한 기예였다.

필리핀인 사내가 쥐고 있는 부분에서 주먹 하나 정도의 길이가 그와 함께 이동을 했다. 보스가 쥐고 있는 부분부터 그 중간까지는 여전히 손에 있다. 쥐고 있는 손에는 어떠한 감각도 없었다. 소총탄을 쏴도 흠집하나 없는 강력한 바bar, 였지만 그것이 부서지는데 어떤 에너지의 여파도 없던 것이다. 공간이동의 칼, 공간 단절이라 할만한 기술은 그런 것이었다.

일반적인 점퍼가 가능한 일은 아니었다. 이건 그도 확인한 것이었고, '텔레포터'만이 가능하다. 아마 자신이 아닌 상대의 위치를 점프 과정 중에 인식하고 전이시키면서 어떤 특이한 작용을 하는 모양이었다. 보통의 점퍼들이 똑같이 어떤 물건을 같이 쥐고 혼자 이동을 해보았자, JE는 점퍼 개인만을 이동 시킨다. 물건은 분리되지 않고 그 자리에 가만히 있게 된다.

필리핀인은 짐짓 자신이 들고 있는 막대의 한 부분을 멀뚱히 쳐다 보더니, 놀랐다는 표정을 지어보였다. 띡띡띡. 박사는 그 모습을 감상하지 않고 주머니에 넣어 두었던 통신기로 텍스트를 치고 있었다. 대강 필요를 다 봤으니 부하를 돌려 보내라는 이야기였다. 청년은 그들이 몇 군데 만들어 둔 어느 오지의 은신처에 있을 것이다. 오지라고는 하지만, 꽤나 오랜 시간 동안 공들여 지어둔 장소였으므로 깨나 있기에는 편한 장소일 테다.

지금 자리하는 이 무인도 구석의 폐건물 역시 그런 장소로 만들어 갈 예정이다. 정기적으로, 그러한 은신처들을 많이 만들어 두었기에 만일에 있을 추격전 따위에 잡히지 않을 가능성이 늘어가는 것이다.

"Bye Bye."

보스가 적당히 웃으면서 손을 흔들어 보였다. 필리핀인 사내는 그 모습에 대강 알아챈 듯 고개를 끄덕거렸다. 얼마 지나지 않아 그가 다시 사라졌다. 텔레포터의 텔레포트는 참으로 편리하다. 자신이 어딘가를 가지 않아도. 수하들의 위치만 알면 대부분의 일을 한 자리에서 볼 수 있었다.

물론 그 역시 하루의 도약 횟수의 한계가 있었기에 머릿속으로 늘 셈을 해가면서 움직이게 해야 했지만.

어쨌든 일반적인 방법으로는 수가 나오지 않지만, 점프를 이용한 다면 손쉽게 분리할 수 있다는 걸 확인했다. 보스는 손에 잡고 있는 스페셜 바를 낡은 돌더미같은 곳 위에 적당히 올려 두었다. 문제가 해결 되었다면 사람을 구하러 갈 차례였다.

구해서 어딘가에 쓸런지는 이제 자신의 문제였다. 점퍼 조직의 감옥에는 여러 명의 범죄자들이 수감되어 있지만 개들 중 말이 통하는 이가 얼마나 될지는 알 수 없다. 윤민혁 정도라면, 그래도 조직에게 개기는 일을 하기 위해서 적당히 쓸만한 말이 아닐까 싶었다.

*

'보스'의 이름은 마이클 샌더스였다. 이공 계열의 천재 중 한 명이었고, 학자로서의 커리어를 쌓아가다가 '점퍼 조직'이라는 세계의 비밀과도 같은 조직에 연관이 된다.

그곳에서 그는 자신의 학자적 역량을 유감없이 드러내며 연구에 몰두했고, 이런저런 성과를 맛보았다. 물리학계의 저명한 인사인 '왓슨 박사'가 있는 스위스의 연구소에서도 일한 경력이 있었다.

어쨌든 그는 헌신적으로 일을 했다. 그리고 다른 생각을 꾸몄다. 결국 점퍼와 점프 에너지는 제한적이고, 많은 이들이 자신들의 필요에 따라 나누어 사용하고 있었다. 게다가 그 점퍼라는 존재들이 개인 의사를 가진 능력자라는 게 가장 어려운 점이었다.

자신의 개인적 욕심을 위해서 점프를 이용하고자 하는 계획에 말이다.

그는 이런저런 불만을 품고 조직에 헌신했다. 정확히는 틈을 보았다. 평생에 찾아올지, 아닐지 알 수 없는 틈들을 말이다. 그러던 와중 그에게 기회가 찾아왔다. 자신의 친우 중 한 명이 거두어들인 양자에게서 '점퍼'라고 보이는 아이가 나타난 것이다.

천문학적인 확률이었다. 고작 세계에서 백 수십 명. 자연적으로 발현되며 어떠한 연관성이나 특이성도 알 수 없는 점퍼의 생태 메커니즘이었다. 그런데 이토록 의심을 사지 않도록 은밀하게 자신의 곁에 도구가 들어오다니.

그는 자신의 친구에게 전적인 후원을 약속했고, 그 아이의 대부가 되었다. 어릴 적부터 깊은 관계성을 유지하기 위해 노력을 했고, 자신의 계획에 맞게끔 사용하려고 조금씩 시간을 두며 훈련을 시켰다.

정신적으로, 육체적으로 자신이 바라는 도구로서의 '점퍼'에 맞게 길러낸 것이다. 그의 친우 역시 정상적인 인격을 가진 존재는 아니었다. 양자로서 데려온 아이의 인생과 미래에 대해 그렇게 큰 관심과 열정을 가지는 것 같지는 않았다.

그렇게, 한국에서 데려왔던 소년은 마이클의 충실한 종이 되어갔다.

세상에서 자신에게 밖에 없는 것 같은 특이한 능력을 가진 아이를 조금씩 감화시키면서 개인적인 사상으로 물들이는 건 충분한 시간과, 노력만 있다면 가능한 일이었다. 자신의 특이성을 알아주고 관련한 정보를 주는 유일한 어른은 소년에게 있어 특별한 존재가 되어가기 쉬웠다. 마이클은 그 점을 십분 활용하고 이용했다.

작았던 아이는 어느새 장성해서 20대 중반이 되었고, 마이클의 모든 계획에 있어 키 플레이어로 활약하기에 충분한 존재가 되었다.

다만 아이, 청년, 텔레포터, '유진 쿠퍼'는 정서적으로는 많은 부분이 결여된 아이로서 자라났다. 사춘기 이후로 부모보다도 많은 시간을 유대감을 형성하며 그를 길러낸 마이클의 영향이었다. 그역시도 정서적으로 풍부하지 못한 인간이었고, 굳이 따지자면 소시오패스에 가까웠다.

공감이나 정서적 능력이 결여 되었을 뿐만 아니라, 확고한 악의와 야욕을 위한 계획력 역시 지니고 있는 인물이라는 점에서 질이 다소 안 좋았다.

그런 이의 훈련을 받고, 사상에 영향을 받으며 자라온 유진 역시 그러했다. 대개는, 임무의 성패가 그의 인생의 전부와도 같이 만들어졌다. 어떤 일에서 실패하는 건, 자신의 존재 자체가 흔들리는 일이었다. 그리고 그런 태도는 같이 일하는 이들이나, 주위 사람들을 대하는 데에서도 은연중에 드러나게 마련이었다.

정서적인 밑바탕. 존재의 근간이 되는 '자연스러움'이랄 것이 다소 부족했다. 그건 가정 내에서 풍부한 사랑을 받으며 자라온 아이들이 자연스럽게 갖게 되는 인격의 근거와도 같은 것이었다.

존재성에 대한 긍정적인 피드백이 결여된 채 행위나 임무에 있어서만 계속해서 강요를 받으면서, 청소년기의 전체를 보냈으니 멀쩡한 성격이 될 리 만무했다. 그 말은 직접적인 임무에 관여된 것이 아니라면 제멋대로 살아도 좋다는 의미가 되기도 하고, 혹은 임무에 실패한다면 존재 가치가 없다는 말이 되기도 한다.

유진과 마이클은, 어쨌든 그토록 불안한 인격적 결함을 가진 채로 끝도 없이 앞으로 나아가는 두 다리와 같았다. 두 다리라는 점에서 그나마 넘어지지 않는 것이었지만, 그럼에도 그들 스스로의 손괴된 인간성을 돌아보지 않는다면 멀리까지는 나아가지 못할 노릇이었다.

*

유진과 마이클 못지않게 불안한 건 윤민혁 역시 마찬가지였다. 그는 거의 편집증적으로 정신적 질환을 겪고 있었다.

질환이라 하기엔 사소한 증상일지 모른다. 어쨌든 개인에게 고통이 된다는 것 자체로는 충분한 질병이었다.

윤민혁은 독방에 있는 모기 새끼 한 마리가 더럽게 거슬렸다.

의외로- 점퍼들이 있는 감옥은 깔끔한 편이었다. 수감자의 편의를 얼마만큼 봐주는 것인지. 그들은 그저 사회와 단절되었고 갇혀 있다는 걸 제외하면 그렇게 어려움이 없는 생활이었다. 벌레 따위를 찾아보는 것도 꽤나 어려운 일이었는데… 윤민혁은 큰 몸뚱아리를 접듯이 구부리고 딱딱한 침대의 한구석에 앉아 있었다.

어지간히 불편한 자세였지만 그저 시간이 가지 않아 그렇게 앉아만 있었다. 그러다가 발견한 것이 한 마리의 모기였다. 계절과 상관 없이 이런 벌레가 들어오는 건 드문 일이었다. 특별히 방역이라도 주기적으로 하는 것인지도 몰랐지만.

어쨌든 무언가 다양한 루트를 뚫고 그의 앞에 기적적으로 도달한 모기는 그의 심기를 매우 거슬리게 만들었다. 저것을 잡으려고 뛰어다닐 힘이나 기력은 그에게 없었다. 정신적인 비굴함이 그의 머릿속을 가득 채웠기 때문이다. 자신의 인생이 이미 끝장이 났다는 생각은 별다른 행동을 할 수 없게 만들었다.

그렇게 가만히 관찰을 하고 있는데, 살아서 왱왱대는 꼴이 어딘가 심사가 꼬이게 만든다. 귓가를 앵앵대기도 하고 근처에 다가와서 신경질적으로 팔을 휘저었지만 저 멀리 갔다가 다시 돌아오고, 바람의 흐름이라도 타는지 쉽사리 죽지 않았다.

말했듯, 적극적으로 잡기 위해서 뛰어 다닐 생각까지는 없었다. 다만 거슬릴 뿐이었지.

그리고 사람의 짜증이라는 건 의외로 축적이 가능한 것이었다. 그 한계가 어디인지는 잘 알 수 없었지만.

모기 새끼는 질긴 생명력을 자랑하면서 윤민혁의 심사를 건드렸다. 죽은 듯한 눈동자, 두터운 팔다리에 아직도 다 사라지지 않은 근력이 있는 몸뚱이. 손발목에는 검고 거추장스러운 구속구를 찬 채, 별다른 무늬가 없는 죄수복을 입고 방의 모퉁이에 기대어 있는 꼴이었다.

이따금씩 모기가 지나가거나 시야에 잡힐 때마다 죽은 듯한 눈을 신경질적으로 들어 흘길 뿐이다.

움직일 생각까지는 없지만, 그래도 내면의 화가 어느 정도 차오르고 있을 무렵이었다.

후욱.

하는 익숙한 느낌은 기시감마저 들게 만들었다. 이 감옥 내에서 점프는 금기 사항 중 한 가지였다. 감옥 내부의 거의 모든 곳이 사각이 없는 CCTV의 감시 장소였고, 언제 어디에서 일이 벌어져도 3분이면 도달하는 감시원들이 있었다.

함부로 점프를 유용한다면 곧바로 제재가 가해진다. 육체적으로는 금식을 당하던, 미약한 전류의 고문을 당하던, 며칠이고 밀실에 갇혀서 나오지 못하는 신세가 되던.

천천히 체력을 잃고 죽고 싶다면 마음껏 점프를 해도 되기는 했지만. 일부러 그런 일을 자행하는 미친 인간은 달리 없었다.

그리고 그 말은, 점프로 다가온 사내가 아마 감옥 내부의 수감자가 아닌 외부인이라는 설명과도 같았다. 말 그대로였다. 그의 눈에 등장한 것은 한 사내였다. 3-40대 정도 되어 보이는 검은 머리의 서양인. 움푹 패인 눈으로 슬쩍 웃고 있다. 독실 내부에 원래부터 있었다는 듯 점퍼가 등장한 것이다.

윤민혁은 눈가를 뒤틀이듯 찌푸리며 그를 바라보았다. 이게 무슨 일인가. 점퍼 조직의 감옥 내부 좌표를 알아낸 것 자체도 이해가 가지 않는 일이었고. 대담하게 등장해서 몇 초간 웃는 얼굴을 보이는 것도 적잖이 놀랄만한 일이었다.

그, 보스, 마이클이 먼저 입을 열었다.

"윤민혁. 맞나? 영어는 되는 걸로 알고 있는데."

생김새와 똑같은 언어였다. 윤민혁은 마주 영어로 대답했다.

"어디서 굴러먹다 온 잡놈이십니까."

다소 표현하기 어려운 언어였지만 적절히 슬랭을 섞어주면 비슷한 뉘앙스를 얼마든지 낼 수 있었다. 오래도록 말을 하지 않아서 좀 거칠고 목이 막힌 듯한 목소리였다. 마이클이 답한다.

"개자식. 너를 풀어주러 온 구원자한테 그 따위로 말을 하다니."

그렇게 사내, 마이클이 마주 웃으며 이야기를 할 때 한 번 더 점프의 전조 현상이 나타난다. 익숙하거나 미리 알고 있지 않다면 느끼기 어려울 정도다. 고요한 밀실 속에서도. 후욱, 하는 식으로 공기가 빠지거나 바람이 슬쩍 불듯한 소리가 들린다. 촉각으로도 미약한 진동이 느껴지는 것 같다.

그리고 잠깐의 텀이 지나면 밀실 내부에 한 사람이 더 서있게 된다.

까무잡잡한 피부의 동남아인 사내였다. 윤민혁은 다시 눈썹을 찌푸렸다. 뭐 하자는 건가.

"2분 30초 뒤면 감독관들이 들이닥쳐서 자네들을 나와 같은 꼴로 만들려고 할 텐데. 그리고 구원자라. 아무리 봐도 속내가 검은 미치광이로만 보이는군."

마이클은 윤민혁에게 다가서며 말했다. 부정의 내용은 아니었다.

"미치광이라는 점에는 동의하네. 다만 자네와 같은 부류라면 같이 일을 할 수는 있겠지. 점퍼가 발휘할 수 있는 공간 단절에 대해서는 아는가?"

윤민혁은 그 눈을 껌벅거리며 마이클을 쳐다 보았다.

"그게 뭔……."

뭐, 마이클은 길게 이야기하지 않았다. 그는 윤민혁이 필요했다. 미친 개처럼 조직을 향해서 달려들만한 전투 요원이 말이다. 그것을 위해 주어야 할 것을 단순하게 줄 뿐이고.

그가 가볍게 손가락으로 지시를 했다. 그러자 필리핀인 사내가 다가왔다.

"오래 걸리지는 않을 걸세."

마이클이 윤민혁에게 다가갔다. 윤민혁은 딱히 그것을 뿌리치거나 저항하지는 않았다. 어차피 구속되어 있는 몸이었고, 이들이 하는 행동에 대해 의도를 모르는 것도 아니었다. 이런 식으로 감옥에 들어오는 자라면 대충 수감자의 탈출을 위해서 하는 것이겠지. 그 방법이 유효할 지는 정확히 알 수 없었다.

혹여 자신에게 위해를 가하기 위해, 단체 도약이라도 하려면 거절하면 된다. 신체적 위협을 가하는 것이라면 코 앞에서라도 제압을 할 자신이 있었고. 구속구는 점퍼로서 점프의 자유를 제한하는 것이었지 그 외 신체 능력에 제재를 가하는 물건은 아니었다. 감독관들에게 힘을 쓰려 들면 곧바로 강력한 전류가 흘렀지만.

그 외의 이들이라면 그는 이전까지와 다름 없는 전투력으로 대해줄 수 있었다. 무엇보다 어느 정도, 현재 상황에 대한 절망감도 작용을 했을지 모른다.

윤민혁은 힘을 빼고 몸을 늘어뜨린 채 그들을 맞이했다. 마이클과 필리핀 사내는 다가가서 침대에 앉아 있는 그의 오른 팔을 들었다. 오른 손목의 검고 두터운 구속구를 집어 들었다. 윤민혁이 힘을 빼고 늘어뜨리고 있는 것은 기술을 행하기 편한 상태를 만들었다.

마이클이 주머니에 있는 전화기의 버튼을 눌러 미리 적어둔 텍스트를 발신했다. 내용은 별 것 없었다. 미리 정해둔 동작이 중요했지. 지구상의 어딘가, 은신처에 있는 텔레포터에게 가는 것이었다.

텔레포터는 신호를 받고 바로바로, 정해진 대로 텔레포트를 실행한다. 공간단절을 위한 도약이었다.

윤민혁의 구속구를 반으로 나누듯 각각 두 사내가 집어들고 있었다. 윤민혁은 그들이 움직이는 대로 팔을 들어올린 채다.

1초 뒤에 필리핀 사내가 이동했다. 바로 몇 걸음 옆 자리였다.

그리고, 구속구는 말도 안되게 깔끔하게 잘려나갔다.

그것이 잘려 나가는데 어떤 소리가 들리지도 않았다. 윤민혁은 그 모습을 바라보면서 순간 말을 잃고 벙찐 표정을 지었다. '어?'

자신을 그토록 괴롭히던 구속구가 쉽사리 잘려나가는 모습을 보자 순간 인식이 잘 되질 않았다. 지금 무슨 일이 벌어진 건가. 마이클은 씩 웃었다.

"구원자라고 하지 않았나."

필리핀 사내가 텅그럭, 하고 반이 잘려나간 구속구를 바닥에 던지고 다시 다가왔다. 이번엔 왼 손목의 구속구를 두 명이서 나누어 들었다. 삑, 하고 마이클이 다시 통신기로 텍스트를 전한다. 1초 뒤에 똑같이 점프가 발동된다.

그리고 연이어 잘려지는 왼손의 구속구. 약 5-6센티미터의 두께를 지니고, 두껍게 손 발목을 감싸던 구속구였다. 윤민혁은 그 모습을 보며 어안이 벙벙하기도 했고, 어이가 없었다.

"3분이라고 했나. 충분히 시간이 있군."

그들이 자연스럽게 윤민혁의 발목을 집어 들었다. 자세를 슬쩍 낮추었고, 침대에 걸터앉은 윤민혁의 다리가 들렸다. 마찬가지로 마이클이 텔레포트를 위한 신호를 보냈고, 필리핀 사내가 움직였다.

구속구가 모조리 잘려서, 독실 바닥에 두 동강이 난 채로 널브러지기까지 십 초가 더 걸리지 않았다. 텅그렁 거리며 나뒹구는 반원 형태의 스페셜제 구속구를 두고 마이클이 씩 웃었다. 그리고 마지막으로 통신기를 조작해 텍스트를 보냈다.

텔레포트가 발동이 된다. 필리핀 사내가 사라졌다. 그 다음은 보스였다. 마지막으로 윤민혁은 자신이 사라짐을 느꼈다. 기이한 일이었다. 점퍼로서 자신이 점프를 발휘하기도 전에 자신이 도약의 과정 중에 있음을 느끼다니. JE의 작용을 느끼는 것이었다.

단체 도약도 아닌데 이럴 수가 있는가. 그러나 자연계에서 '절대'라는 말은 의외로 잘 통용되지 않는 말이기도 하다. 점퍼라는 존재가 있는 것부터가, 말이 되는 일은 아니지 않은가. 그가 '옌'을 발굴했던 것처럼 특질을 가진 점퍼가 있어서 기현상이 나타난다고 해도 이상한 일은 아니었다.

윤민혁은 자신의 몸이 점프의 과정에 휩싸이며 어디론가 이동되는 것을 느꼈다. 그리고 독실에서 자신의 방을 감시하던 CCTV가 있는 구석을 바라보았다.

그는 웃지도, 우는 것도 아닌 애매한 표정으로 그 구석을 바라보다가 곧 사라졌다.

이상 사태를 깨달은 감독관들이 윤민혁의 독실로 달려오기 전에, 모든 상황이 종료되었다.

***

전체적으로 절망적인 상황이었다.

현재는 말이다.

민서는 그렇게 느끼고 있었다.

22년 11월 19일, 토요일.

그는 확실히 궁지에 몰려 있었다.

"자."

그는 수정과 보드 게임방에서 게임을 즐기고 있었다. 오늘은 코치진들의 사정이나, 조직의 여건 상 훈련이 없는 주말이었다. 그는 수정과 성현대 근처의 보드게임 카페를 와서 승부를 벌이고 있었다.

당연히, 보드 게임을 선택한 시점에서 어떤 종류를 고르던 그가 이기리라 생각하던 것과는 다른 결과였다.

그는 대전을 하는 종류의 보드 게임에서 마지막 패를 내버린 그녀의 앞에서 도저히 수가 떠오르지 않았다.

귀족, 상인, 정치가, 암살자, 장군, 왕 따위의 신분을 고른 뒤 그에 맞는 특전과 특성을 갖고 건물 카드를 쌓아서 점수를 얻는 게임이었다.

여러 가지 엔딩 조건들이 있었는데, 그녀가 먼저 그것에 도달했다. 민서의 턴이 끝나면 그녀는 고급 코스트 건물인 신전과 왕궁, 도심 상업지구를 완성시켜 건물 점수로 엔딩을 볼 것이었다.

먼저 고급 건물을 세 개 지어내면 엔딩이었고, 그 외 행위 점수나 건물 점수, 신분별 목표에 따른 점수와 재물 점수를 따져서 승패를 가리는데 어느것도 민서가 이기는 듯 보이는게 없었다.

한 턴 내에 기회를 보아야 했지만 그가 할 수 있는 것이 아무것도 없다. 이번 판은 보드 게임 카페의 이용비와 음료수 값이 달려있는 내기였다. 돈이 아쉽지는 않았지만, 왜인지 승부욕이 더 생기는 건 어쩔 수 없었다.

보드게임 카페는 평범하게 생긴 곳이었다. 적당히 밝은 톤의 벽지 따위로 분위기를 밝게 하고 있었고 조명도 센 편이었다. 한 켠에는 카운터가 있어 주인 아저씨가 좌중을 살피면서, 자리에 앉아 있었고. 출입구로 들어와서 카운터 근처에는 매대가 있어 간식이나 음료를 사서 마실 수 있었다.

한 벽면을 가득 메운 보드게임들이 책장에 들어 있었고 개중에서 원하는 것을 골라 늘어놓고 하면 된다. 요구를 하면 해주는 것 같았지만 특별히 설명을 다가와서 해주는 것 같지는 않았다.

민서는 그래도 몇 번인가 해본 보드 게임을 골랐다가, 이런 꼴이었고. 수정과는 테이블에 마주 앉아서 서로를 바라보며 게임을 하고 있었다. 그녀는 의기양양한 표정을 애써 감추며 패를 들고 있었다. 보통 재물 카드와 행동 카드를 쥐고 있게 되는 것인데, 딱 보아도 민서보다 들고 있는 카드의 수가 훨씬 많았다.

민서가 반전을 도모한다면 손에 쥔 행동 카드들 중에서 절묘한 카운터를 생각해내야 했다. 그의 머리로는 도저히 나오지 않았지만. 얼마나 손해를 입히던 이미 뒤집기 어려운 수준의 차이였다.

민서는 그래도 일단, 최후의 발악처럼 '강탈'이니 '건물 손상'이니 하는 카드들을 사용해서 상대의 점수를 깎고 턴을 마쳤다.

"음료수 잘 마셨습니다."

수정은 민서에게 인사를 하며 카드를 내려놓았다. 계산하기가 무의미해 보일 정도로 큰 차이였다. 민서는 눈썹 사이를 찡그리며 말했다.

"억울하다."

수정이 답했다.

"실력이 없는게 억울하다면 어쩔 수 없지만."

어디서 배워왔는지 모르겠으나 어딘가 열이 받는 다이나믹한 음의 말투로 민서의 심기를 긁었다. 민서는 잠깐 테이블을 엎고 싶다는 생각을 했지만 물론 실행을 하지는 않았다. 얌전히 카드와 여러 플라스틱 쪼가리들을 그러 모으며 정리를 했지.

"오늘의 패배는 다음 번의 승리로 이어질 게야."
"아 안들리고 카드나 내주시죠. 먼저 취업한 주제에 이렇게 쪼들리는 척을 하시다니요."

수정이 말하는 카드는 신용카드였다. 민서는 끙, 하는 소리를 낸다.

"…밥이나 먹으러 갈까?"
"그러자."

그녀와의 만남은 대개 밥으로 끝나거나 밥으로 시작했다.

성현대 근처의 밥집들은 전부 돌아보겠다는 기세처럼도 보였다.

자리를 정리하고 둘이 일어섰다. 민서는 먼저 나서며 계산대에서 지갑을 꺼냈고, 수정은 옆에 잠자코 서있다가 어깨를 툭 쳤다.

"이야. 돈 벌어서 누나 뭐 사주기도 하고. 사람 됐네."
"그럼 그 전엔 뭐였습니까. 그리고 심지어 생일은 내가 더 빠르지 않아?"

그런 헛소리들을 하면서 카페를 나섰다. 조금 늦은 아침에 만나 적당히 점심을 먹을 때 즈음이었다. 이렇게 한가롭고, 목가적으로 보내는 시간들이 즐겁고 좋았다.

이런 일상들이야말로 삶의 가장 중요한 단위가 아닐까 싶을 정도로.

민서는 이런 나날들을 위해서라면 무엇이든 할 수 있었다.

*

'정말 뭐든 할 수 있을까.'

공교로운 전개였다. 민서는 얼마 전에 자신이 생각했던 문장을 곱씹어보았다. 그는 문장의 형태로 생각을 머릿속에서 만들고 그것을 오래도록 기억하는 버릇이 있었다. 대화에 민감한 편이라고 해도 좋았다. 어쩌면 기계공학도 보다는 문학도에 어울렸을 지도 모른다.

이제 와서는 어느 쪽과도 직접적인 연관은 없는 일을 하고 있었지만.

민서는 번지점프대 위에 있었다.

바람이 싸늘하게 불어온다.

자신에게 이런 일이 생기는 것이 참으로 믿어지지 않을 정도로 나쁜 상황이었다.

보통 줄이 없이 번지 점프는 하지 않지 않나?

민서는 그런 생각을 하며 자신의 몸을 두리번거려 살폈다.

어떤 경치가 좋은 깊은 계곡에 위치한 번지점프대. 사람이 적은 구조물 위였다. 그 자리에는 민서 뿐이다. 아니, 한 명이 더 있기는 하다. 몇 발자국 떨어져서 바라보는 최길우가 있었다.

11월 23일. 수요일.

최길우는 갑자기 민서에게 이런 것이 필요하다며 그를 데리고 훈련의 일종을 시키고 있었다. 다만 그 훈련이라는 것이 상식에서는 한참이나 벗어난 거라는 게 문제였다.

사실 민서도 제정신이라면 이런 짓을 하지는 않을 것이다. 대부분의 제정신인 인간들은 이런 일을 하지 않는다. 자신은 그럼 미치광이인 것일까.

아니 어쩌면 점퍼라는 존재들에 깊이 물들어 있는지도 모른다. 눈으로 보고 오감으로 느끼며, 그들의 능력과 존재에 대해서 다른 현실의 상식들처럼 확신을 했기에 이럴지 모른다.

민서는 슬쩍, 철제 난간을 붙잡다가 뒤에 있는 최길우를 쳐다보았다. 그의 표정에는 흔들림이 없었다. 오히려, 뭐가 문제냐는 듯 씨익 웃어보이며 손짓을 했다. 어서 하라는 뜻이었다.

점퍼들과 함께 행동하면서 패닉에 빠지는 건 좋지 않은 일이었다. 이미 최길우와는 시베리아의 횡단 열차를 타면서 온갖 공중전이니 난전이니를 겪어 본 사이였지만 그로서는 조금 부족한 듯 싶었다.

굳이 이런 식으로 공중에 대한 감각을 일깨우고 패닉을 이길 수 있도록 도와준다니 말이다. 민서는 까마득하게 아래로 보이는 흐르는 물을 바라보았다. 한국에 이렇게 깊은 계곡이 있었던가. 운이 좋으면 살 수 있을까?

아마 어떤 준비 없이 간다면 십중팔구는 뼈도 추리기 힘들 테였다.

민서는 뒤를 다시 한 번 쳐다보았다가, 마음을 먹고 발을 내딛었다.

라고 생각했지만 다리가 조금도 움직이지 않았다. 아니, 세상에 어떤 미친 인간이 줄 없이 번지 점프를 뛰어?

퍽.

그가 다시 뒤를 돌아보려고 할 때 어느새 최길우가 다가와 있었다. 그가 그리 아프지 않은 발길질로 민서의 등을 밀었다. 깔끔한 프론트 미들 킥이었다. 그렇게 깔끔할 필요는 없지 않나, 라는 감상이었다. 민서가 마지막에 떠올린 건.

"우"
아, 아, 악!

비명이 거센 공기 저항에 밀려서 제대로 나오지도 못했다. 아찔한 중력이 그를 아래로 잡아당겼고 그 아래는 제법 유속이 빠른 계곡의 물살이 기다리고 있었다. 언뜻 깊어 보이지만 바위라도 튀어나온 부근에 걸린다면 그대로 요단강 건너는 길이었다.

요단강을 건넌다는 말의 어원은 중동의 요르단, 지역에 있는 강을 성경의 고대, 구약 시절의 이스라엘 민족들이 다 같이 건넜던 신화를 바탕으로 하고 있었다. 당시 이스라엘 민족을 이끌었던 영도자와 또 함께하셨던 전능하신 신께서는 바다를 양편으로 갈라서 뭍으로 그 강을 건너게 하셨고.

루비콘 강을 건너듯이, 어떤 민족의 역사와 사람의 삶의 선택 속에서 이제 돌이킬 수 없는 곳으로 감을 의미했다. 이스라엘 민족들은 요단강을 건너서 '가나안'이라는 지역의 민족들과 전쟁을 벌이게 되었었고.

어쨌든 민서는 한 걸음을 자의가 아니게 내딛었다. 더 이상 요단강을 건너고 싶지는 않았다. 벌써 이승과 작별을 하고 싶지는 않았다.

밀려 올라오는 바람이 그의 몸을 나부끼게 만들었다. 대자로 뻗으며 떨어지는 그 몸뚱이는 물에 처박는다고 해도 상당한 중상이나, 혹은 목숨이 위험해 보이는 자세였고. 그는 필사적으로 몸을 웅크리며 돌려보려 했다. 그나마 깔끔한 자세를 만들어 보는 게 삶의 가능성이 조금이라도 있는 것이었다.

귓가를 스치는 그 아찔한 감각과, 온 지구가 자기를 반겨주는 경험은 그다지 자주 하고 싶지 않은 것이었다. 심장이라도 떨어지는 것처럼 격렬한 통증마저 느껴지는 것 같았다. 이런 상황에서 이성을 올바르게 유지하는 사람은 달리 없다. 더군다나, 낙하산이나 줄도 없다면 더더욱. 쇼크로 기절하거나 죽지 않는게 도리어 장하지 않은가! 라고 생각할 즈음 구원의 손길이 다가왔다.

후욱, 하고 들려오는 점프의 감각은 이제 민서에게 아주 친숙한 것이었다. 최길우는 민서의 옆에 나타나며 그의 팔을 붙들었다. 그리고 자연스레 같이 몸을 붙이며 아래로 떨어졌다. 어떻게 가능한 것인지는 모르겠으나 최길우는 이런 동작을 공중에서 자연스럽게 해냈다.

번지점프대의 높이는 그리 한없이 높은 편이 아니었다. 떨어지기까지 고작해야 십 수 초 정도의 시간이 있을 뿐이다. 그 절반 정도를 민서가 아무것도 없는 맨몸뚱이로 자유 낙하를 했을 때 최길우가 나타나서 붙잡은 것이다. 곧바로 그는 도약을 시도했다. 민서는 단체 도약의 감각을 느끼며, 그 다음 순간 시야가 암전되었다.

후욱, 하고 같이 사라진 그들은 아까의 번지 점프대 위에 올라와 있었다. "허어어어어어억." 민서는 참았던 긴 숨을 간신히 토해내듯이, 그야말로 토라도 하듯이 뱉어냈다. 심장이나 간담이 잘 남아나지 않는 경험이었다. 차라리 저번 열차에서의 난전 상황이 더 나았다.

그 때는 누군가가 총구를 들이밀고 또 경황도 없었기에 이런 진득한 공포감을 느끼고 그 과정 전체를 체감할 필요가 없었다. 그냥 어수선하고 어지러운 상황 가운데 몸을 맡기고 최길우가 이끄는 대로 따라갔을 뿐이었다. 물리적으로야 바들거리기는 했지만. 정신은 더 편한 구석이 있었다.

그들은 선 채로 철제 번지 점프대 위에 나란히 나타났고, 민서는 조금쯤 구부린 동작으로 바들거리더니 무릎을 굽혀 자리에 주저 앉았다. 최길우는 그런 그를 보고 말했다.

"음… 아직 부족하군요. 그거 압니까, 민서 씨?"

여상스러운 말투가 민서에겐 지독하게 이질적이었다. 이 양반은 감각이 없는 걸까. 달리 생각하면 점퍼라는 족속들은, 전투기 조종사보다도 더 혹독한 공중전 훈련을 받는 이들인지도 몰랐다. 3차원적인 제약까지도 무시하고 아무 데로나 점프를 해대면서 전투를 지속하는 이들은 필연적으로 이렇게 되가는 것인가.

아무튼, 민서의 입장에서는 그렇게 말하는 입을 많이는 아니고 조금만 찢어두고 싶을 정도로 얄미운 침착함이었다.

"뭐, 뭐, 뭐."

뭐를 말입니까, 라는 말이 놀란 심장과 들뜬 호흡 때문에 잘 나오지 않았다. 최길우가 눈웃음을 지으면서 말했다.

"낙하에 대한 공포는 내성이 있습니다. 한 백 번쯤 반복하면서 죽지 않는다는 걸 깨달으면 누구나 생겨요. 앞으로 다소 거친 전투가 발생하고, 점퍼로서 거기에 참여한다면 그 쯤은 익혀 두는 게 좋을 겁니다."

상큼하게 웃으면서 말하는 게, 아주 좋지 않은 버릇이었다. 적어도 말의 내용과 그 외적 태도는 일치를 시킬 필요가 있었다. 민서가 멍하니 최길우를 쳐다 보았다. 최길우가 도약을 해서 다시 올라온 곳은, 공교롭게도 바로 번지 점프를 하는 곳 앞이었다. 민서는 어느새 자신이 그 앞에 다시 주저 앉아 있음을 깨달았다.

'설마 이 놈이….'

존칭마저 생략하고 생각이 튀어나왔다. 말로 나오지 않은 것은,

존중의 의미가 아니라 말을 뱉을 호흡이 부족했기 때문이었다. 최길우가 그 옆에 있다가, 뒤로 돌아 가며 다시 다리를 들어올린다. 민서는 그 동작이 잘 보이지는 않았지만 불길한 예감만큼은 뚜렷하게 느껴졌다.

"우주전은 못해도 공중전 정도는 가능해야 어디가서 점퍼라고 할 수 있을 겁니다. 저를 믿어요, 민서 씨."

퍽.

최길우는 민서의 등짝을 아무런 망설임도 없이 가볍게 밀었다. 여지없이 깔끔한 로우 프론트 킥이었다. 보통 상대의 정강이 따위를 부술 때 쓸법한 자세다. 다만 이번엔 힘은 빼고, 그저 슬쩍 대서 멀리 미는 식이었다.

"우아아아아아아!"

민서는 떨어지기 전에 오히려 더 크게 소리를 질렀다. 학습된 공포로 인한 트라우마의 발동이라고 할 수 있었다. 그러나 공포증을 치료하는 데는, 정신치료 요법 중에 '홍수 치료' 요법이라는 게 있었다. 두려워 하는 대상에 대한 경험을 무식하게 퍼부어대서 자극에 익숙해지게 하는 것이었다.

과연 그것이 이런 상황에 맞는지는 알 수 없었지만, 적어도 최길우는 자신의 도약 횟수 중 삼분의 일 정도는 오늘 사용할 각오를 하고 왔다.

민서는 앉은 자세 그대로 굴렀다. 한 바퀴를 채 구르기 전에 시야가 허공을 마주했다. 아까 본 그 광경이었다. 눈높이가 달라서 그런지 조금 색다르긴 하다. 그를 잡아 당기는 중력은 여전했고. 지구가 그를 정겹게 반기며 끌어당겼다.

"으, 아, 아악!"

민서는 목이 쉬도록 비명만 질렀다.

점퍼 조직에 오고 나서부터 다양한 경험들, 특별한 일들을 참 많이 겪고 있었다.

이곳에 있지 않았다면 생각도 하지 않았을 다양한 깊이와 종류였다.

*

민서가 자이로 드롭에서는 이미 아무것도 느끼지 못할 정도가 되기까지 그리 오래 걸리지가 않았다. 아무리 빠르고 무자비한 드롭이라 할지라도, 안전바가 있고 기계 내에서 이루어지는 낙하는 더 이상 공포의 대상이 아니었다.

구해질 걸 알더라도 맨 몸으로 절벽에서 떨구어지는 경험을 반복하다 보면 그렇게 된다. 어느샌가 삶과 죽음의 경계에 대해서도 다소 무뎌진 것처럼도 느껴졌다.

최길우는 기어코 그 한 주 내에 민서를 백 번 떨어뜨리는 것을 채우고야 말았다.

***

홍인수와 옌은 함께 커피를 마시고 있었다.

홍인수는 언제나 늘 나이스한 차림을 하고 다니는 편이었다. 처음부터 그가 그렇게 입고 다니는 건 아니었다. 점퍼 조직에 들어오고 나서, 다양한 경험을 하고 나서 바뀐 습관이었다.

어쩌면 생사의 근처에 있는 경험을 하고 나서 그런 것일지 모른다. 총알이 날아드는 교전 상황에서 동료가 다치거나, 죽는 일도 겪었다. 그 자신은 언제나 운이 좋게도 큰 상처 없이 살아남아 돌아왔고, 또 그의 재능으로 많은 동료들을 무사하게 귀환시킨 적도 많았지만.

그러나 그럼에도 불구하고 그런 곳으로 나아가야 하는 자신의 처지는 삶에 대한 태도를 다시금 생각하게 만들기 충분했다.

언제 어떻게 될 지 모르는 삶, 늘 그럴싸하게 차려입고 준비를 좀 해두자.

라고 문장으로 정리할 수도 있겠다. 홍인수는 자신이 번 돈을 쓸 곳이 그리 많지 않았다. 부양해야 할 가족도 많은 편은 아니었다. 그의 부모님은 두 분이서 노후를 책임질만한 벌이가 되는 분들이었다. 성인이 되고 나서는 찾아 뵈는 일이 아주 뜸해지긴 했지만.

그리고 부모님보다도 더 적게 보는 여동생이 한 명 있었다. 미국으로 이민을 가서, 그곳에서 만난 남자와 결혼을 하고 잘 살고 있었다. 가정을 꾸리고 일을 하고, 아이를 하나 낳아서 제대로 키우면서 나이를 먹어간다는 점에서 홍인수보다 훨씬 그럴듯하고 번듯한 삶을 구가하는 지도 모른다.

홍인수는 늘 외줄을 타듯 아슬아슬한 삶을 이어가고 있었다. 그에게 주어진 마스터라는 칭호나, 그에 걸맞은 경험과 체력, 재능과 기술들은 그런 삶에서도 어느 정도 안정성과 매너리즘을 부과했지만 점퍼이든 마스터이든 총알 한 방을 잘못 맞으면 그대로 골로 가는 건 여전히 똑같았다.

그럴 때면 또 인생의 경로에 대해서 다시 한 번 생각해보게 된다. 요즈음에는 커맨더가 자신을 현장 요원에서 후방 임무쪽으로 돌리고 있었고, 조직 전체의 운영을 경험시킨 뒤 자신의 후임으로 삼으려는게 아닌가 한 지가 꽤 된 상황이었다.

여전히 일정 비율 이상의 현장 임무는 맡고 있었지만 이전보다는 줄었다. 커맨더가 되어서 더 편해지는 건 아니었다. 도리어 골

머리를 썩는 일이 더 늘어나면 늘어날 테였지.

언제든 사건은 벌어지고, 자신이 나서지 않더라도 그 현장에 나서는 무수한 현장직 요원들의 삶과 상황을 책임져야 한다는 건 도리어 앞에 나서는 것보다 더 심각한 부담감이 있는 일이었다. 교전 상황, 실제 상황과 조직의 운영에 포함되는 무수한 숫자들을 단순히 숫자로 느끼고 이성적인 판단을 이어나가기까지는 어느 정도, 마모라고 해도 좋을 정도의 과정이 필요할 지 몰랐다.

리더라는 건 그만큼이나 어려운 일이었다. 단순히 힘이 좋아서 앞장 서서 헤쳐 나가는 것보다도 더 막중한 일이었다.

애초에는 그런 일환이기도 했다. 조직에 새로이 들어온 인원이면서, 주요한 특질의 점프 능력을 가지고서 있는 옌에게 좀 더 관심을 갖고 조직에 더욱 헌신을 하도록 케어하는 일은 말이다. 홍인수는 그녀와 자주 임무를 수행했고, 태국인이며 외부인에서 근래에 소속이 바뀐 그녀가 적응을 빠르게 할 수 있도록 신경을 써야 했다.

이런 특질의 재원들이 안정적으로 조직을 위해 일할수록 조직 전체의 부담이 눈에 띄게 줄어든다. 당장 레이더의 능력으로 인해 사방을 이잡듯 답도 없이 헤집어야 했던 무수한 인력이 업무 강도의 감소를 느끼고 있기도 했고.

직접적인 점퍼의 추적전에도 그녀를 대동한다면 놓치기가 더 힘들어 질 것이다.

옌의 성격이 그리 어려운 편은 아니었다. 다소 종잡을 수 없는 면도 있고, 과도하게 겁을 먹거나 어색하게 구는 모습이 있기는 했지만. 근처에 다가서서 세심하게 과정을 살펴 주면 딱히 반항을 하는 일은 없었다. 조직의 목적에도 금세 감화를 당하고, 영향을 받고 일을 한다.

그녀는 이끌어주는 이에 따라서 금방 변하는 편인 인간이었다.

그런 과정에서, 홍인수는 조금 더 임무 외적인 시간을 같이 보내기도 했다. 이런 자연스러운 시간과 관계성이 결국 임무에 있어서의 신뢰와 협력 관계로까지 나아가게 마련이었다.

그런 의미로 홍인수는 그녀를 자신이 자주 가는 카페에 데려와서 아메리카노를 마시게 하고 있었다.

"입에는 맞습니까?"
"어… 아뇨. 좀 더 달고 진했으면 좋겠는데…."

동남아 지방에서의 커피는 좀 더 맛이 진한 편이 보통이었다.

무더위가 지속되는 날씨에서 어쩔 수 없는 변형일지도 몰랐다. 그녀는 다양한 공간들을 경험하고 이동하면서 시간을 보냈지만, 그 취향이나 익숙함을 느끼는 곳은 아직도 고향의 땅이고 경험들이었다.

"뭐… 이런 맛에도 익숙해져 보세요. 평소에 커피를 즐겨 먹지는 않았습니까? 향으로 느껴지는 풍미나, 은은한 산미나 고소한 맛이나… 맛의 비율이나 특성을 따지면서 먹으면 제법 재미가 있습니다."

홍인수는 덤덤하게 제안하면서 커피를 마셨다. 작고 아담한 카페였다. 그리 화려한 인테리어는 아니었지만 주인장이 솜씨가 좋았다. 아르바이트를 한 명 두고, 주인이 보통 대부분의 커피를 내려서 주는 집이었다. 홍인수의 입맛에는 딱 맞는 곳이었고, 언제 가도 늘 변하지 않는 맛을 제공하는 집이다.

단독 주택처럼 생긴 건물에 상가 구역의 한 구석에 있는 곳이다. 간판도 그리 크지 않아서 많이들 알고 찾아오지는 못한다. 우연히 들른 이들이 보통 단골이 되어서 찾는 것이 손님의 대부분이었다.

주인은 인상이 푸근한 중년의 남성이었고, 홍인수가 와서 인사를 건네면 늘 반갑게 맞아주는 곳이라 그 역시 마음에 들었다. 인간

관계의 기본은 보통 인사였다. 그것만 잘해도 삶이 풍요로워지고, 관계가 풀릴 정도로 중요한 기본이었다.

홍인수는 옌에게, 말하자면 다소 좀 긴 인사를 건네고 있는 중이었다.

조직의 추적자로서 범죄자를 구속하러 간 것이 첫 만남이었으나, 어쨌든 그녀는 조직을 위해서 헌신하기로 마음을 바꾸고 함께하고 있었다.

조직을 운영하며 길게 많은 일들을 같이 해나가야 할 처지에서 껄끄러운 기색은 버리고 친근하고 새롭게 관계를 다져가면 좋을 테고.

"음… 복잡한 건 잘 모르겠어요. 그냥 되는대로 마시는 게 편한 데."

어쨌든, 미각이나 후각에 집중하며 커피를 즐기고 또 구분하는 건 그녀의 취향에 정확히 맞지는 않는 모양이었다. 싫지만 않으면 되었다. 그러면 같이 시간을 보내기에 충분하다. 홍인수는 같이 시킨 케이크를 슬쩍 밀며 말했다. 디저트의 맛은 평범한 편이었다. 개중에서 레몬이 섞인 생크림 케이크는 제법 맛있는 편이었지만.

"뭐, 디저트도 있으니까요."

작은 포크로 먼저 케익을 갈라서 먹으며 홍인수가 말했다.

옌은 늘 여성적인 옷차림을 고수하는 편이었다. 그녀의 취향인건지, 아니면 그런 류의 옷밖에 없는 건지.

현장에서 뛰기에 적합한 차림새는 아니었다. 애초에 전투를 할수 있을만한 능력도 그리 풍부한 사람은 아니었지만 말이다.

둘은 한국어로 대화하고 있었다. 조직에서 시간을 더욱 보내는 와중에 옌은 떠듬떠듬 한국어를 배워 나갔다. 홍인수와 시간을 보내는 것도 실력 향상에 주요한 요인이었다. 어쨌든 홍인수는 능숙하게 영어를 사용하지만, 한국어보다 편리한 언어는 아니었다. 그에게.

가장 편한 언어로 대화할 수 있다는 건 관계성을 진전시키기에아주 좋은 일이었다.

옌 역시 듣는 정도만 가능하고, 다소 어색했던 말하기가 이런저런 대화를 하며 늘어가니 나름대로 뿌듯함을 느끼기도 했다.

"오늘은 별다른 임무가 없나요?"

"뭐, 그런 날은 없기는 합니다. 사실 있다가 오후가 되면 당신도 같이 가야 하고."

옌은 푹, 한숨을 내쉬었다.

순종적인 편이었지만 과로를 즐겨 하는 성격은 아니었다. 레이더라는 특질은 조직의 입장에서 이런저런 방법으로 유용하기에 아주 편리한 능력이었다. 특수한 상황이 발생하면 때로 집중적으로 붙들려서 현장에 있게 마련이었다.

"실은⋯."

홍인수가 다소 그답지 않게 머뭇거리며 다른 말의 서두를 띄웠다. 감정적인 망설임보다는, 그 내용이 상대에게 부담이 되지 않을까 해서 두는 계산적인 텀에 가까웠다.

옌이 그를 쳐다보자 홍인수가 입을 열었다.

"윤민혁이 얼마 전에 조직의 감옥에서 탈출했습니다."

옌은 그 말에 떠먹던 케이크를 그대로 들고 눈을 동그랗게 떴다. 그녀에게 있어서 남다른 이름이기는 했다. 점퍼로서 능력을 활용하고 수많은 일들을 했던 시간들의 시작이 윤민혁 때문이었으니까.

홍인수는 이내 다시금 아무렇지 않은 얘기를 하는 것처럼 케이크를 마저 먹으며 말했다.

"자세한 방법이나 수단은 잘 모르겠더군요. 저희도 짐작하지 못한 수를 써서 탈출을 했고, 조직의 구속구는 두동강이 났습니다. 저희는 아마 당신이나 몇몇 이들처럼, '특질'을 보이는 점퍼 중 하나가 관련이 된 게 아닌가 싶습니다."

임무를 시작하기에 앞서 설명은 자세할 수록 좋았다. 홍인수는 그런 의무감으로 침착하게 길게 풀어서 상황을 전달했다.

"지난 달에 일어났던 서울에서의 폭발 사건을 아시겠죠? 점퍼가 고스란히 드러났던. 점퍼 조직으로서 가장 악질적인 종류의 테러라고 봐도 좋은 일이었습니다. 아마도 그 때의 점퍼가 관련되어 있다고 짐작하고 있어요."

"그렇군요…."

옌으로서는 해당하는 사건에 대한 지식이 별로 없어서, 할 수 있는 말이 많지 않았다. 그저 고개를 끄덕이는 것밖에는.

"여태까지의 범죄자들을 적이라고 말한다면, 이번 점퍼는 최대의 적이라고 말해도 좋을 것 같습니다. 대담하고, 규모있고, 조직적이면서 아마 근접 전투도 꺼릴 것 같지 않더군요. 그러지 않고서는 그런 배짱을 부리기가 쉽지 않겠죠."

홍인수는 옌의 눈을 슬쩍 처다보며 이야기했다. 때로 너무 뚫어져라 처다보면 그녀는 홍인수를 무서워하는 경향이 있었다. 그는 자연스레 오래도록 처다보지 않고 이따금씩 보며 대화하는 습관이 들고 있었다.

"머리를 쓰는 거나 과감한 움직임을 보건데 어디까지 상대가 할 수 있을지 모르겠습니다. 한국 같이 치안이 좋은 곳에서 그런 짓거리를 벌이는 건 보통 수완으로는 어려울 텐데. 일단, 레이더로서 주기적으로 서울 정도는 범위에 넣고 수색을 해주어야 할 것 같습니다."

하루종일 점퍼들의 단체 도약에 편승해서 상대의 기척을 감지하는 일이었다. 쉬지 않고 장기적으로 하다보면 깨나 피로감이 고된 일이다.

"그렇군요…."

그녀는 고개를 절레절레 저으면서 들고 있던 케이크를 입에 가져갔다. 어쨌든 그녀에게 중요한 것은 그것이었다. 당장 무엇을 하면 되는 것인지. 거대한 규모의 계획이나 목표 설정이 어려운 그녀는 당장 해야 할 소목표들이 주어지는 상황이 편한 면이 있었다.

둘은 자리에 앉아서, 어쨌든 잠시 더 주변적인 신변잡기 따위들을 나누며 케이크와 커피를 해치웠다.

그렇게 얼마간 시간이 지나고 나서야 자리서 일어났다.

***

커맨더의 이름은 '한형석'이었다.

그는 중년의 노장이면서 동시에 가장이기도 했다. 지난 수십 년의 세월을 점퍼로서 의무를 다하기 위해 스러지듯 보내온 세월이었다. 돌이켜보면 바람에 흩어지듯 희미한 나날들이기도 하다. 가끔 너무 고통스러운 기억들은 그렇게 남는다. 트라우마는 담아두는 것 자체가 고통이기에.

지나치게 여기저기에 상처를 남기고 달려온 기억들은 간혹 남은 것이 없게 느껴지기마저 한다.

어쨌든 그의 흔적은 확실히 남았다. 점퍼 조직이라는 형상으로 남았기도 하고. 무엇보다 그 조직이 유지되면서 키워지고 길러진 후세대의 후배들이 그의 삶의 증거였다.

사랑하는 아내와, 가정 역시 그런 흔적이었다. 슬하에는 두 딸을 두고 있었다. 하나는 시집을 가지 못했고, 둘째는 제 언니보다 일찍 결혼을 해서 출가를 해 살고 있었다.

아이들이 살기에 좀 더 좋은 사회나 세계를 만들어주기 위해서라도, 늘 그가 해야 하는 일들은 같았다. 몸이 부서져라 자신의 능력을 다 사용해서 사람들을 돕고, 골치 아픈 갈등이 벌어진 현장에 가서 해결을 위해 골머리를 더 썩으면 될 뿐이다.

사회란 다 다른 부분처럼 보여도 결국 하나의 유기체와도 같아서 다른 하나의 문제가 곪으면, 다른 쪽으로 튀어나와 뒤통수를 갈기게 마련이었으니.

살아있는 생명체의 몸을 돌보듯, 거시적인 관점으로 할 수 있는 일을 계속해 나가면 될 뿐이었다. 그게 절대적으로 완성적인 대책일 수는 없겠지만. 적어도 한형석의 인생에 있어서 최선이기는 할 것이다.

그는 50을 바라보는 노장으로서, 많은 세월들을 전쟁터나 혹은 그 관련된 자리에서 머물렀다. 전쟁이란 늘 준비하는 자가 이기는 것이었고 그는 편집증적인 수준으로 준비에 준비를 거듭해가면서 삶을 버티고 또 견뎌내었다.

준비하고, 또 준비하고, 또 준비하는 삶.

머리가 벗겨질 정도로 열성을 다해 조직의 운영과 사회의 안정 유지를 위해 애를 썼다. 장년층에 들어서고 다음 십 년이 지나면 그 역시 노년을 바라볼 것이다. 더이상 일선에서 움직이기 어려운 때가 올 것이고.

그런 사실들을 생각하면 이전처럼 머리가 잘 돌아가지 않을 때가 많았다. 언제까지 이렇게 할 수 있을까, 에 대한 상념은 그의 머리와 몸을 둔하게 만들었다.

그런 고민들이 들 때를 위해서 후배들의 양성에 더 힘을 쏟는 것이었다. 그는 홍인수와 최길우를 생각했다.

그는 평범한 가정집에서, 하루는 퇴근을 해서 저녁을 맞이하고 있었다. 서울 강북에 있는 주택가의 단독 주택이었다. 식탁에 앉아 아내가 차려준 한식들에 손을 대며, 미리 앉아 있는 큰 딸에게 넌지시 이야기를 건넨다. 아내는 아직 마저 국을 뜨느라 자리에 앉지 않고 있었다.

"…결혼…."

문장이 완성되지 않고 단어까지를 뱉었을 때 큰딸이 순간 표독스러운 눈빛으로 제 아비를 흘겼다. 한형석은 투실한 볼 께를 두터운 손가락으로 매만지면서 잠시 말을 멈추었다가 다시 뱉었다.

"……. 우리 딸. 소개팅은 생각 없니. 아빠가 일하는 곳에 꽤 괜찮은 후배들이 있는데."

근본적으로 점퍼라고 해서 다를 건 없었다. 한형석 역시 점퍼였고, 한창 일하고 있을 때 지금의 아내와 만나서 결혼을 했고 또 행복하게 살았다. 가정은 그가 책임감을 가지도록 힘을 돋궈 주는 중요한 요인이기도 했다. 후배들을 위해서도, 결혼은 하는 편이 좋다.

그런 김에 자신의 딸의 행복도 같이 챙길 수 있다면 더 좋을 것이다.

한형석이 넌지시 말을 하고는 딸의 대답을 기다렸다. 큰 딸은 올해로 28살이었다. 일찍 낳은 딸이다. 20대 초반에 결혼을 하고 바로 아이를 가졌다. 작은 딸의 나이는 26살이었고, 행복한 가정 생활을 보이며 자기의 언니에게 불편한 자극을 주고 있는 처지였다.

사실 28살이란 나이가 그렇게 늦은 나이는 아니었지만, 어지간하면 한형석은 너무 늦지 않게 하는 것이 좋다고 생각하는 편이었다. 그 역시 젊은 날부터 동반자를 만나 행복하게 살아오기도 했고. 자신의 딸이 그런 행복을 안다면 더욱 좋은 일이다.

다만 여러모로 컴플렉스나, 실패 따위에 시달리며 나름의 상처를 안은 듯한 딸은 쉽게 마음을 여는 것처럼 보이지는 않았다. 자기 마음대로 잘되지 않는 걸 해야 할 때 사람은 가장, 지랄 맞은 태도를 보이게 마련이었다. 그 역시도 자신의 고집 때문일 때가 많기는 했지만.

"……. 아빠. 내가 꼭 결혼을 해야 한다고 생각해? 미선이는, 자기가 좋아서 한 거라지만 나는 아직 그렇게 생각 없어. 일하는 곳에서 적응하는 것도 바쁘고, 아직 내가 정말 뭘 하고 싶은지도 확신이 없는……"

'애한테 너무 부담 주지 마요, 현서 아빠.'

식탁에서 조금 떨어진 거리에서 아내가 나긋한 목소리로 말을 했다. 형석은 물러서지 않고 말을 끊으며 자신의 이야기를 이었다.

"잘생겼어."

형석의 큰 딸은 눈매를 곱게 찡그리며 말을 멈췄다.

"거기다 돈도 잘 벌지. 아빠 일하는 곳이 급여가 센 편인 건 알지? 미래도 나름 유망하고. 왜냐면 아빠 직속이라 정년 수준까지 일하게 될 거거든. 성격도 착하고 착실하지. 조직에서 가장 굴려지는데 군말 하나 없이 해내는 걸 보면. 나이도 너랑 크게 다르지 않단다."

형석이 딸의 눈을 피하지 않고 눈매를 좁히며 말했다.

"당장 떠오르는 건 둘 있다. 동생이랑 오빠 중에 누가 좋니."
"……."

현서는 굳이 따지자면, 예쁜 편이었다. 형석 역시 인물이 젊은 시절에 그리 떨어지는 편이 아니었고, 아내도 미인이었으니 그것을 닮은 것이리라.

어깨에 살짝 닿을 정도로 기른 단발을 늘어뜨리고 갈색으로 물들인 그녀는 큰 눈을 꿈벅댄다.

잠시 시간이 지나자 아내가 금방 국을 떠서 가져 왔다. 한 번에 세 명분을 퍼서 쟁반에 올려 오느라 시간이 걸린 모양이다.

탁.

식탁에 쟁반을 부딪히며 내려놓을 때쯤 현서가 말했다.

"……연상?"

형석은 알았다는 듯이 고개를 끄덕이며 홍인수의 최근 신변을 머리에 떠올렸다.

***

11월 24일. 목요일.

시계를 아주 조금 뒤로 돌린다. 마이클은 스스로의 이름을 정했다. '루시페르'. 반역자에게 잘 어울리는 이름이었다. 점퍼 조직은 이름도 없는 곳이었지만, 세계에 존재하는 초능력자들이 모여서 집단을 이루었다는 점에서 가공할만한 능력을 보일 수 있는 집단이었다.

본디 일반적인 천재 중 하나로서 그 조직에 가담했던 그는 그 능력의 일부를 취해서 바깥으로 돌고 있었고. 이제는 그 집단의 전복을 노린다.

마이클의 속셈은 간단한 것이었다. 조직의 해체와 질서의 재편. 질서의 재편, 까지는 가지 못해도 좋다. 단순한 해체만으로도 자신이 할 수 있는 것들이 많이 있었다. 자신의 두뇌나 계획, 그리고 인맥과 텔레포터를 비롯한 몇 명의 능력만 있다면 세계를 제 안방을 누비듯 자유롭게 누비면서 많은 일들을 저지를 수 있다.

점퍼 조직은 당장 협약에 의해 각국의 수장에 대한 직접적인 공격을 불허하고 있었지만, 조직이 무너지고 무정부 상태처럼 점퍼들이 난립한다면 알게 무언가. 그는 누구보다 대담하게 각국의 정상들을 노리고, 혼란 속에서 자신 위주의 질서를 재편할 마음까지도 있었다.

어쨌건 그가 바라는 건 혼란이나 그 속에서 얻을지 모르는 권력이었다. 세계는 너무 오래도록 지속되었다. 라는 말은 어떤 역사학자들이나 할 말인지 모른다. 20세기에 있었던 변혁과 개화의 물결이 한 차례 지나가고, 특별한 일 없이 21세기를 맞이했다. 그리고 또 20여 년이나 지났지만 아무런 변화도 없다.

백여 년에 한 번 인류 문화나 기술사, 역사의 특이점이 있다면 오히려 조금 늦다고 생각했다. 마이클은 그것을 자신이 일으킬 생각이었다. 물론, 그에게 있어 진보를 이루어낼 능력은 없었으니 퇴

보에 가까운 것이었다. 마이클 개인의 삶에 있어서는 진보를 이룰 수도 있을 것이다.

다른 이들이 쌓아둔 탑을 모조리 무너뜨리고 그 밑돌을 빼내어 자신의 집을 지으려는 심산이었으니 말이다.

"어, 거기 놔 둬."

마이클은 예의 필리핀의 폐건물에 있었다. 그간 이래저래, 사람들을 꽤 부려서 청소를 한 탓에 그나마 있을만해진 곳이었다.

먼지나 잡다한 것을 치우고 뚫려 있는 창문의 빈 공간에 창문을 끼워 두었다. 목재 틀을 크기에 맞추어 제작해서 유리로 채운 것이다. 여닫이로, 바깥에서 불어오는 바람을 막을 수 있었다.

깔끔하게 청소를 하고 적당히 의자를 몇 개인가 가져다 두었다. 물건들을 놓을 테이블이나. 쉴 수 있는 간이 침대도 있었고. 점퍼가 있을 때 편리한 점은 그것들이다. 개인이 옮길 수 있는 정도의 무게나 크기라면 장소에 구애받지 않고 짐 역시 나를 수 있었다.

필리핀인 사내는 오늘도 부지런히 일을 하고 있었다. 마이클이 그에게 말한 것이다. 까무잡잡한 피부. 곱슬머리의 청년은 무거운 케틀벨 따위를 나르고 있었다. 이 삼십 키로그램 정도 되는 중량들이었고, 웨이트를 한다고 해도 제법 근수가 나가는 것들이었다.

그것들을 더플백 따위에 넣고 한 번에 여러 개씩 옮긴다. 어딘가에서 가져와서 폐건물로 이동해 온 청년은 마이클의 지시를 받고 한 구석에 중량이 나가는 물건들을 두기 시작했다.

잡다한 웨이트용 기구나 정체가 의심스러운 철제 박스 따위가 쌓여간다. 마이클은 보기보다 간단한 사람이었다. 그럴 의지만 있다면, 몇 가지 물건만으로도 많은 일을 할 수 있었다.

폐건물에서 눈에 띄는 것은 그런 것이다. 마치 우주복처럼, 일체형으로 생겨 있는 수트. 머리 부위에는 얇은 유리같은 질감의 헬멧도 있었다. 폐건물의 테이블 위에 그런 것들이 여러 벌 늘어져 있었다.

짐을 나르는 일에는 윤민혁도 동원이 되었다. 그 역시 무거운 자재나 내용물을 알 수 없는 견고한 박스 따위를 점프 몇 번으로 옮겼다. '물건'들이다. 아주 간단하게 사용을 할.

마이클은 전화기를 입에 대고 상대와 이야기를 하면서 그것들을 바라보고 있었다. 청년, 유진이 상대였다. 유진 역시 그와 통화를 하면서 어딘가에서 텔레포트로 필리핀인 사내를 움직이고 있었고.

한참을 움직이면서 모아둔 물건들이 폐건물의 한 구석에 쌓였다. 마이클이 이야기를 했다.

"음, 이 정도면 될 것 같은데. 초토화 시키기에 딱 좋군."
-예 안그래도 다 옮긴 것 같습니다.

건너편에 말을 받는 이는 유진이다. 마이클에게는 텔레포터와, 윤민혁이 있었다. 둘을 합쳐서 약 삼백 하고 좀 더 넘는 도약 횟수가 있었다. 한 번에 오십 Kg 정도의 무게만 옮긴다고 하더라도 15톤 분량의 무게였다. 물론 그만한 무게를 일시적으로라도 드는 게 그리 녹록하지만은 않았지만.

점프에 필요한 타이밍은 그야말로 일순간이었다. 아주 잠깐만 감당하면 된다.

그만한 무게를 물론 하루에 다 채우지도 않았다. 정말로 능력을 한계까지 쓰려고 하다 보면 녹초가 되어서 다른 일들에 쓸 여력이 아예 없을 것이다. 마이클은 준비가 순조로운 것을 보고 저도 모르게 콧노래를 흥얼거렸다.

윤민혁이 물건을 다 옮기고, 구석에 서서 그들이 하는 양을 지켜보고 있는 마이클을 바라보았다.

"정말로 그럴 생각인가."

마이클은 간단한 이야기로 통화를 마치고 통신기를 주머니에 도로 넣었다. 그러다가 윤민혁이 하는 말을 듣고 눈을 껌벅이며 있다 고개를 끄덕였다.

"안될 것 있겠는가. 날 잡아서 겨울이 시작할 때 즈음 화려하게 축하를 해주면 다들 좋아하겠지."

윤민혁은 그 소리에 고개를 절레절레 저었다. 그 역시 만만찮게 이런저런 일들을 계획하고 벌이는 인간이었지만 이 작자는 생각하는 방향성이 남달랐다. 그 뒤처리가 정말로 가능하단 말인가.

어쨌든, 한배를 타기로 했으니 실행까지는 같이 할 따름이다. 윤민혁은 생각하기를 포기했다. 마이클의 계획은 생각을 한다고 따라갈 수 있는 류의 상상들이 아니었다.

물건이 얼추 정리되자 마이클이 이야기했다.

"일을 마쳤으면 밥이나 먹지. 점심은 내가 사겠네."

윤민혁은 자신보다도 나이가 어리고, 대담한 사이코패스를 보며 속으로 작게 한숨을 내쉬었다.

*

어느새 날이 부쩍 추워지고, 쌀쌀해졌다. 가을의 막바지에 이르러 한기는 거리를 오가는 사람들의 몸 속으로 파고들며 옷깃을 여미게 만들었다.

거리는 여전하다. 별다른 일도 없었고. 사람들은 사건이 없는 하루를 보내는 것이 얼마나 귀중한 일인지 아는 것인지. 무덤덤한 표정들로 시내를 채우며 각자의 일을 보고 있었다.

11월 30일. 수요일. 민서는 잠시 외출을 했다가 자신의 집으로 돌아가는 길이었다. 점퍼로서 이런저런 일들을 처리하고, 또 임무에 참여하는 시간은 많았지만 사실 '재머'인 그는 직접적인 도약 능력이 없었다.

그가 현장에서 필요한 일들은 그래도 일부로 제한되는 종류였고, 훈련이나 실험 따위의 개인적인 일과를 제외한다면 여가 시간이 날 때가 많았다. 아직 조직에서 보낸 세월의 연차 또한 신입에 지나지 않았고.

조직의 사람들이나 운영 방식은 그를 배려하고 있었다. 고로, 민서는 이렇게 한가한 날 잠시 거리를 둘러보며 상점가를 들렀다가 다시 집으로 돌아가고 있었다. 동대문구 근방에 그달리 볼만한 게 생각나지는 않았다. 근처의 시장이나, 마트나 백화점 따위를 기웃거리다가 찬거리나 조금 사고, 겨울에 입을 만한 니트나 한 두벌을 사고 난 이후다.

혼자서 많은 것들을 하는 취미도 없었고. 오늘은 부를 만한 친구도 없었다. 수정 또한 따로 볼 일이 있는지 바쁜 와중이다.

집으로 돌아가는 버스에 앉아서 창가를 바라보는데, 어느덧 일찍 지기 시작하는 저녁 무렵에는 어슴푸레한 빛깔이 사위를 장식하고 있었다. 거리를 밝히는 불빛이 김이 서린 창가 너머로 번지고 있다.

시내 버스는 하도 많이 타고 다녀서, 가끔은 친숙할 지경이었다. 머리를 차가운 창가에 기대니 그 한기가 머리에 전해져서 조금 마음이 가라앉는 기분이었다. 복잡한 생각들이 많을 때는 이렇게 하는 것도 나쁘지 않았다. 얼음을 댄다거나, 냉동실 문을 열고 거기에 머리를 처박고 잠깐 있다거나.

고민을 드러내는 편은 아니었지만 이따금씩 머리가 과부하가 걸리는 것처럼 잘 돌지 않을 때가 많이 있었다. 인생은 늘 이해할 수 없는 사건과 고민의 연속이다. 즐거울 땐 한없이 즐겁다가도, 가끔은 복잡한 과제를 던져주는 교수님처럼 굴 때가 있었다.

여유는 중요하다, 여유는.

민서는 한기가 스며드는 것 같은 가슴께에 깊은 한숨을 뱉어 조금의 진정제를 넣으며 시내를 구경했다.

얼마 지나지 않아 버스가 섰고, 그는 내려서 어두워진 거리를 지나 집으로 돌아갔다.

*

TV에서는 시덥잖은 예능 프로가 하고 있었다.

예능 프로 전체가 시덥잖다는 이야기는 아니었다. 그것도 집중해서 보다보면, 애정을 갖고 시청하다 보면 가끔 누군가의 인생이 들어있다는 실감이 날 때가 있었다.

이질감을 갖고 화면 너머의 누군가를 들여다보는 일이었지만 어쨌든 그도 동시대에 살아가는 사람이었다. 의심의 눈을 거두고 본다면 결국 이해해야 할 동반자에 가깝다.

김민서는 그대로 집에 들어와 자신의 원룸 방 안에서 홀로 앉아 있었다.

　반쯤 켠 조명. 이전보다 달라진 원룸은 살기에 편한, 깔끔한 집이었다. 슬쩍 열린 창문 틈새로 바깥의 한기가 들어온다. 잠에 잘 들지 않고 정신이 들어 있기에 좋고, 또 바람이 불기에 열어둔 상태였다.

　식탁에는 이런저런 간식 따위들을 늘어놓고 뜯지도 않고 있었다.

　TV가 벽면에 붙게 세워져 있었고 그 옆으로 침대가 있다. 침대에 걸터 앉아서 TV를 바라보고, 이런저런 생각들을 혼자 조용히 하다가 창문을 바라본다. 시간은 금세 지나가고 밤이 어두워진다.

　이제 일어나서 밥이라도 차려 먹어얄텐데. 어지간히 잘 떨어지지 않는 귀찮음은 발걸음이나 손을 움직이는 것조차 붙잡아 시간을 끌게 만든다.

　끔벅끔벅, 잘 떠지지 않는 눈을 몇 번인가 떴다 감았다 하며 눈꺼풀을 비볐다.

　씻고, 밥도 차려 먹고. 운동을 좀 하고. 자야지. 즐겁고 또 고요한 휴일이다. 겨울이 다가오는 날은 언제나 그 찬 공기가 정신을 들게 하는 것 같아 좋았다. 아무것도 하지 않아도 잠이 잘 깨는 듯한 기분은 왜인지 생기가 도는 느낌마저 준다.

김민서가 겪은 가을의 마지막 날의 일과였다.

*

4.겨울 이야기

12월 1일의 아침. 겨울은 고요하게 시작되었다.

목요일이었고, 별다른 일은 없었다. 아침부터 그를 찾는 일정이
나 약속도 말이다. 느즈막히 일어나 준비를 하고, 아침밥을 먹고,
정해진 장소에 가 있다 보면 점퍼 요원 중 한 명이 데리러 올 테
였다.

그러면 단체 도약으로 기지에 가서 일상과 같은 훈련을 좀 받
고, 운동을 하고, 다시 스위스로 넘어가서 JE2에 대한 이런저런
실험의 대상이 되어줄 차례다.

오늘 특별한 임무는 없었고 일상적인 일들의 반복이었다.

*

저녁 즈음.

한국은 저녁 7시 무렵이었다. 민서는 정해진 일과를 마치고 서울에 있었다. 제법 긴 하루였다. 전투 요원들이 받는 훈련은 아직은 그 시간을 감당하는 것만으로도 죽을 맛이었다. 다양한 소형 화기들의 사용법을 익히고, 실제 전투 상황에서 맞닥뜨리게 되는 경우의 수에 대한 대비책을 익힌다.

김만철은 코치로서 최고의 능력을 발휘하는 사람이었다. 김민서의 의사와는 상관 없을 정도로, 몸에 때려 박아서 지식을 넣어주고는 했다.

조직에서 새롭게 실현되어 사용되는 시뮬레이터 역시 큰 도움이 되었다. 촉감과 후각, 시각과 청각을 모두 재현하는 시뮬레이터는 적절한 보조 기구들만 있으면 거의 현실과 같은 훈련 환경을 만들어낼 수 있었다.

그것도 하나의 훈련실이라는 공간 안에서 말이다. 민서는 최근에는 어느 폐창고 따위에서 벌어지는 총격전 상황에 대한 훈련을 반복학습하고 있었다. 굳이 그가 선두에 나서서 모든 적들을 처리할 필요는 없었다. 목적은 결국 살아남는 것이다. 그러기 위해서 올바른 대응 방법을 익히고, 사격술을 사용해 적을 견제한다.

그 과정에서 결국 가장 좋은 것은 적을 먼저 처리하는 일이었다. 실제 교전 상황에서 대부분의 인간들이 총을 가지고도 제대로 상대를 맞추지 못한다는 점을 미루어봤을 때, 어질거리는 시야 속에서 정확한 조준으로 십여 미터 근방의 적을 맞출 수만 있어도 상당한 전투 능력이라고 할 수 있겠다.

우선 그 정도의 능력을 지니고, 점퍼 조직 특유의 방탄 피복 따위로 몸을 감싼다면 다양한 상황에서의 생존률은 기하급수적으로 올라간다. 어차피 어지간한 탄환으로는 잘 뚫리지 않는 방어구들이다. 대구경의 총을 가져와서 갈겨대야 위험할 뿐이지.

물론 충격량을 무시할 수는 없어서 더럽게 아프고, 실신에 이르거나 전투 불능의 상황에 빠질 수는 있었다. 뼈가 부러질 수도 있었고. 방탄 피복이 막아주는 건 관통에 집중되어 있었다.

김민서는 생전 생각해본 적도 없는 다양한 시뮬레이션 상황을 겪으면서 익숙해져 가야 했다. 실제로 그리 멀지 않은 시간이 지나 자신이 맞닥뜨리게 될 지 모르는 순간들이었다. 어쨌거나, 피를 흘리지 않고 배울 수 있을 때 잘 배워두어야 했다. 김민서는 조직에서 가르쳐주는 다양한 기술과 지식들을 부지런히 흡수하기 위해 애를 썼다.

다양한 종류의 피지컬 트레이닝 또한 곁들여졌다. 운동 선수는 아니었지만, 적어도 그에 준하는 훈련들이었다. 물론 모든 양을 소화할 순 없지만 적어도 그 시간들을 버텨낸다는 점에 있어서, 스스로의 체력은 점점 늘어나고 있었다. 근력 또한 붙고 있었고.

장기간의 운동이 반복될 수록 근질 또한 전체적으로 향상되어 간다. 거기에 정확한 자세로 내뻗는 기술들을 습득한다면 안정적인 근접 거리 전투가 가능해 지는 것이다. 아직까지도 홍인수나, 송일우 따위의 전문적인 근접 전투원들을 상대로 무언가 해볼 수는 없었지만 말이다. 그건 적어도 연 단위의 기술 습득과 훈련, 실전 경험이 쌓여야 도전해볼만한 일일 것이었다.

조금 늦은 오전부터 오후까지 기지에서 훈련을 받고, 이후 시간에는 스위스의 연구소로 넘어가 짧막한 실험에 참여한다.

언제나 김민서가 하는 일은 결국 비슷했다. 그가 트리거로서 조종할 수 있는 정신 상태의 집중력을 발휘하고, 그로 인한 JE2의 작용을 연구소의 시설물들이 측정하도록 돕는 것 뿐이다. JE에 대한 직접적인 관찰은 현대 과학 기계로 불가능했지만 그와 영향을 주고 받는 다른 모든 요소들은 측정이 가능했다.

뇌파, 호르몬. 주로 김민서의 체내에 관련된 것들이었다.

그의 재밍 능력은 꾸준히, 시간과 비례하여 강력해지고 있었다. 그 상승세에 멈춤이 없다는 점에 있어서, 정말로 언젠가 꾸었던 김민서의 꿈같은 일이 벌어질 지도 모른다. 세계 곳곳에 있는 점퍼들이 그의 능력으로 인해 그의 곁에 다가오게 되는 것이다.

사람이 다가오는 건 꺼릴 만한 일은 아니었지만, 미치광이나 인격에 따라서는 주의를 기울여야할 필요도 있었다.

그렇게 어디인지 모를 조직의 기지와 연구소를 지나 김민서는 다시 서울에 도착했다. 조직의 점퍼들에게 충분한 잔여 도약 횟수가 없다면, 그는 있는 곳에서 하루를 보내거나 할 때도 있지만 오늘은 아니었다. 어차피 한국을 들러야 하는 요원이 있었기에 그의 일정에 따라 서울에 도착했고, 집에 돌아온 상태였다.

아침에 나갔을 때와 그리 다르지 않은 환경이었다. 어딘가 긴 여행을 마치고 돌아온 것 같은 기분에 다시 옷가지를 정리하고, 침대에 대충 걸터 앉았다. 씻고, 옷을 갈아입고, 저녁 식사도 해먹어야 했지만 잠시 앉아 있기로 했다.

자연스레 손이 리모컨으로 움직여서 TV를 틀어두었다. 그리고 그 때였다.

따리리리, 하고 그의 핸드폰이 울린다. 조직에 관여하기 시작한 이후로는 국제적인 통신이 가능한 위성 전화 모델로 바꾸어 들고 다니던 차였다. 원래 가지고 다니던 스마트폰 역시 주머니에 넣어 두고, 다니기는 했지만 주로는 그것을 사용한다.

소리는 전화의 착신음이었다. 민서는 별 생각없이 울리는 전화에 폴더폰을 열어 받았다. 위성 전화기 역시, 스마트폰처럼 고성능의 기기가 있었지만 민서는 조직에 들어오기 전 임시로 받았던 물건 을 계속해서 쓰고 있었다. 손에 잘 맞기도 했고, 튼튼하기도 했다. 굳이 이전에 쓰던 스마트폰 기기가 있는데 새로운 모델로 바꿀 필 요를 느끼지 못해서였기도 하다.

"여보,"

'세요.' 하고 민서가 인삿말을 건내기도 전에 수화기 너머에서 목소리가 들려오는데, 제법 다급한 투였다. 조직의 사람들은 보통 어지간한 일에 다급한 목소리를 내지 않는다. 애초에 세계 각지에 있는 위기 상황들과 마주하는 것이 그들의 일이었으니까.

어느 정도 수준 이하의 긴급한 상황들과 재난에는 이미 익숙해지고 무뎌져 있는 것이다. 그런 이들이 목소리를 띄우며 호흡도 가다듬지 못한 채 빠르고, 아무렇게나 지껄이는 건 민서가 느끼기에도 정상은 아니었다.

 -당장 와야 되겠어! 집인가? 비상이야. 조직 시설물이 직접, 타격당하고 있어. 미친. 쏟아지는구만.

 통신기 너머로 들리는 소리는 야가미 소우타의 것이었다. 그의 발음이나 어휘는 이미 완연한 한국인의 것이었다. 민서가 알아듣기에 아무 문제가 없다. 다만 그가 말하는 것들이 정확하고 구체적이지는 않았다. 타격당하고 있다고? 시설물한테 타격이라니. 어디서 포격이라도 이루어지고 있다는 말인가.

 그러나 그러기에는, 점퍼 조직이라는 단체는 세계의 균형을 만들어낸다고 할 수 있는 각 강대국과 모조리 협약과 관계를 맺고 있는 곳이었다. 그런 곳을 건드릴만한 거대 단체는 없다고 봐도 좋았다. 점퍼 조직의 일은 늘 다른 사회의 분쟁에 참여해서 그것의 종식을 만들어내는 일이었다.

 점퍼 조직이 직접 타격을 당한다면, 그건 현 지구의 선진국들이 단체로 돌아버렸거나, 혹은 개중 하나의 지도자가 돌아버렸거나, 그도 아니라면- 조직 외의 점퍼들 중 누군가가 대담하게도 일을 꾸민 것일 테였다.

기본적으로 점퍼는, 점퍼 능력을 제외하고는 다른 이들과 똑같았다. 조직을 이루고 조력을 얻어내고, 자본과 기술력을 갖추고 극악한 계획을 실행해내는 여타의 모든 일들은 인간 개인의 경험과 능력이 필요했다. 그리고 그런 부분에 있어서 점퍼 조직을 능가할 만한 외부 단체는 없다고 해도 좋았다.

그러나 저번부터 보여준 어느 점퍼의 테러는 남다른 대범함을 보인다. 민서는 그 순간 대강의 일들을 상상해냈다. 그 역시 서울 한복판에서 일어난 그런 폭발은 처음 겪는 것이었다. 점퍼 기지로의 공격 역시, 그들이 아직 잡히지 않아서 새로이 일을 꾸몄다면 그럴싸한 상황이기도 했고.

"예 집입니다. 침대 옆이에요."

야가미는 대답도 없었다. 아마 곧바로 도약을 시도했으리라. 민서는 그 짧은 순간 속에서 여러가지 생각을 했다. 그때 하늘을 드론에 매달린 채 날고 있던 사내를 다시 보는 걸까.

적이 점퍼라면 재머인 민서의 참전은 필수적인 것이었다. 재머로서 발휘하는 능력의 범위는 이전부터 꾸준하게 늘고 있었고, 현재는 약 5km정도의 범위를 갖고 있었다.

하나의 넓은 교전 지역을 아우를 수 있는 범위였고, 그 정도면 재머로서 현장에서 움직이기에 충분한 수준이었다.

후욱. 하는 익숙한 소리가 민서의 방 안에 들려왔다. 곧이어 야가미가 모습을 드러낸다. 그는 어딘가 다급해 보이는 모습이었다. 조금 헝클어진 머리. 전투용 장구들을 차고 있는 모습이다. 손에는 헬멧을 들고 있었고.

야가미가 흔들리는 눈동자로 민서를 처다 보았다. 그가 다짜고짜 말하며 그 손을 민서에게 가져다 댄다. 어깨에 올리는 손길을 민서는 피하지 않았다.

"어, 일단 기지로 가지. 장비만 챙겨입고 바로 현장으로 가겠네. 상황이 비상이야. 이러고 있는 시간에 뭐가 더 터질지 모르겠네."

그가 원래 민서에게 반말을 하는 편은 아니었다. 그만큼 정신이 없다는 의미도 될 것이고, 어느 정도 점퍼 조직에서 임무들을 같이 수행하며 친근해졌다는 의미도 될 것이다. 야가미가 턱, 하고 손을 올렸다. 그리고 그와 동시에 이미 발동하고 있던 도약이 시행된다. 단체 도약에 대한 거절은 없었고 둘은 그대로 기지로 이동한다.

*

점퍼 기지.

기지의 내부는 바깥이 보이지 않는 지하라 날씨나 해의 움직임으로 시간은 알 수 없었다. 그 이전에 점퍼가 아닌 김민서는 그곳의 위치 또한 알 수 없었고. 조직 기지의 위치는 기밀 중의 기밀 같은 것이었다. 비점퍼 요원들의 경우에도 출입구가 없는 기지 내부로 점퍼들의 이동에 합류해 들어오기 때문에, 실제로 기지가 지구상의 어디에 위치해 있는 지는 알 수 없었다.

점퍼들의 점퍼가 위치 좌표만 있다면 거리의 제한을 받지 않는다는 점을 미루어봤을 때, 사실 어느 다른 행성의 토양 아래에 대형 건물을 공사로 지어두고 국소단위의 테라포밍으로 그들이 시간을 보내고 있다고 해도 이상하지는 않았다.

다만, 점퍼의 능력은 차치해두고서 현재까지 지구상의 국가들이 모아 온 저력이 그 정도의 일을 쉽사리 감당할 정도는 아니었기에 기지는 분명 지구 어딘가에 위치한 자리였지만.

공격을 받고 있는 것은 점퍼 조직의 어느 시설물이었다. 기지의 좌표는 비밀이었지만 그 외 장소들의 위치는 관련자 정도는 알고 있는 것이었다. 나름의 기밀이고 또한 극비 사항이었지만 다양한 인프라가 필요하고 또 직접적인 관련자들이 실무를 하고 생활을 해야 하는 공간이기에 어쩔 수 없는 일이었다.

기지 전체에 울리는 경보음과 비상 상황이 일어났음을 의미 하는 소리나 대원들의 구호 따위가 어지럽게 건물 내부를 장식했다.

민서는 조직의 장비 창고에 도착했다. 여타의 절차를 생략하고 바로 전투용 장비들을 불출拂出해서 받았다. 입고있는 옷의 외투를 벗고 방탄용 피복들을 껴입었고, 일단 소형 화기로 권총과 그 외 장갑과 헬멧을 받았다. 그가 장비를 착용하는 걸 본 야가미가 곧장 그의 어깨에 손을 다시 얹었다.

"점퍼 기지에서 운용하는 감옥, 태평양 어딘가로 갈 거네. 간단 하게 상황을 설명해주지. 어떤 미치광이 새끼가 고고도高高度에서 쇳덩이랑 폭탄 따위를 투하하고 있어. 조직 건물은 개박살이 났고. 자네랑 나는 같이 해당 위치에서 끝까지 올라가 본다. 자네 재밍 능력이 닿는 곳까지 가면 걸리겠지."
"어, 뭐라구요?"

제대로 이해가 가는 말은 아니었다. 고고도에서 뭐라고?

"적은 점퍼야. 한, 두 명 정도가 대기권 어딘가 상공에서 낙하 물리 실험을 하고 있네. 그걸 막는게 자네랑 내 임무고."
"그런 씨……."

일단 한국말이니까 이해는 간다. 실제로 머릿속에서 장면이 그려지는 꼴은 아니었지만. 야가미는 그러거나 말거나, 민서가 머뭇거리는 와중에 헬멧을 빼앗아 그의 머리에 처박아 끼워놓으며 어깨에 손을 댔다.

"일단 그쪽으로 가지."

후욱, 하고 두 명의 신형이 기지에서 사라졌다.

*

폭탄이 떨어지는 것과 같았다.

아니, 실제로 폭탄이 떨어지고 있기도 했다.

중력 가속도에 따라, 상공 수십 km 위의 까마득한 자리에서 낙하하기 시작한 강철 케틀벨이나, 혹은 속에 화약을 잔뜩 담은 쇠구슬 따위가 떨어지고 있었다.

수십 km의 거리는 중력의 도움을 받아 빠르게 다가온다고 하더라도 한참이나 걸리는 거리였다. 약 수 분 전에, 점퍼 조직의 감옥에 닿게끔 고고도에서 계산되어 투하된 물건들이 땅바닥에 처박아 거대한 폭발을 일으키기까지 한참의 시간이 걸렸다.

끊임없이 증폭된 물리력은 그 자체로 비슷한 크기의 폭탄과 크게 다르지 않았다. 심지어 화약이 들어있는 텅스텐 철구鐵球의 경우에는 더욱 끔찍한 결과를 만들어 냈고 말이다.

수십 km 상공은 마치 어느 정도 우주 공간과 마찬가지의 환경을 갖고 있었다. 희박한 대기, 차가운 온도, 지구의 중력이 다소 줄어들어 적용되고 있는 위치였다. 그러나 잠깐 정도는, 더욱이 방호복을 입고 있다면 아무런 문제 없이 사람이 있을 수 있는 자리이기도 했다.

이름으로 따지자면 '중간권'이라 불리는 위치였다. 일반적인 대류가 흐르고 비행 물체들이 유영하는 자리가 상공 20km 수준이었고, 그 위에 50km까지가 성층권이라 불리는 친숙한 위치이다. 그보다 높이 올라가면 있는 자리로, 하늘에서 떨어지는 유성들 따위가 지구로 다가오다 불타버리는 위치가 중간권이었다.

유성을 떨어뜨려 맞추는 일이 물론 쉬운 것은 아니었다. 그러나, 수십 수백 개의 탄환들을 가지고 있고, 정밀한 계산을 해낸 뒤에 투하하고 있으며 시행 착오를 거치며 일부가 정확한 지점에 떨어지고 있었다.

앉은 자리에서 대륙 규모의 자연 현상을 관측하고 분석하는 것이나 마찬가지인 일이었다. 마이클, 박사는 몇 개의 대형 드론과 유사 인공 위성을 띄워 대류를 관측했다. 정확히는 이 폭격에 필요한 지역의 흐름만을 정밀하게 말이다.

그것을 그가 가지고 있는 가장 정밀한 컴퓨터에 입력해 낙하 운동의 예측 프로그램으로 계산해 정확한 좌표를 산출해냈다. 어떤 위치에서 어떻게 떨어뜨려야 아래에 있는 착탄 지점에 정확하 가 닿는지 말이다.

텅스텐제 철구, 그러니까 포탄과 비슷한 것이나 혹은 운동용의 케틀벨처럼 잡는 곳을 만들어둔 물건들이 우수수, 떨어진다.

그것이 땅바닥에 가 닿는 순간에 나는 소리는 콰앙-! 이라고 짧게 서술할 정도의 폭발력은 아니었다. 이미 그 자체로 전술적인 규모의 폭탄들이었고, 하나의 낙하체가 떨어질 때마다 반경 수십 미터가 초토화 되고 있었다. 점퍼 조직에서 운용하는 감옥은 태평양 어딘가, 무인도 위에 지어져 있다. 감옥이 섬 전체의 면적을 사용하는 건 아니었고 그 일부를 덮고 있을 뿐이었지만 낙하체는 이따금씩 그 근처를 직격하거나, 혹은 감옥 건물을 정확히 때려 맞추기까지 한다.

바다에 떨어진 물건은 그 자체로 거대한 물보라를 만들어내고, 작은 해일처럼 파도를 만들어 내고 있었다. 지상에 낙하한 텅스텐 제 케틀벨은 거대한 열에너지와 폭발적인 위치에너지를 갖고 땅에 닿아, 지면을 그대로 까뒤집고 수 m의 대지에 구덩이를 만들어내는 폭발을 일으켰다.

간혹 철구 중에는 그 속이 화약으로 가득 차 있는 폭탄들이 있었는데, 그것들은 지면에 닿는 순간 화약으로 인한 폭발력을 더하며 화려하게 지상을 불태웠다. 상공에서 폭격기로 해내는 강습과 다름이 없었다.

감옥 상공에서, 지구의 자전 방향에 따라 대각선으로 올라간 어느 자리. 공기가 희박하고 대기권 내이지만 마치 우주와 같이 어슴푸레한 밤하늘 같은 공간에서 마이클과, 윤민혁이 있었다. 그들은 우주복처럼 생긴 방호복을 입고 얇은 두께의 헬멧마저 낀 상태이다.

그들이 다른 비행 동력을 가진 채 움직이는 것은 아니었으므로, 중간권의 상공에 나타나며 더플백이나 뚜껑이 열려 있는 상자 따위에 담아둔 철환들을 곧바로 쏟아내곤 그들 역시 그것들과 함께 낙하하고 있었다.

그러나 철구들과 다른 점은, 그리 오랜 시간이 지나지 않아 다시 어디론가 사라지고 있다는 점이다.

텔레포터에 의해서 움직이는 마이클 역시 윤민혁과 마찬가지로 점프로 상공에 나타났다가 조금 낙하한 지점에서 사라졌다. 윤민혁은 마이클이 제대로 사라지는 모습을 보고, 그 다음에 점프로 움직인다.

텔레포터는 상당한 실력을 가지고 있는 점퍼이기는 했지만 난이도가 높은 작업에 있어서 혹시 실수가 있다면, 그가 눈으로 위치를 확인한 뒤 곧바로 마이클을 챙겨서 단체 도약을 해야 했기에 그렇다.

초고도의 상공에서 투하된 텅스텐제 케틀벨이나 포탄들은, 자유낙하를 하며 거센 중력의 영향을 받아 가속도를 입어갔다.

수 초만에 이미 상당한 속도로 떨어지고 있었고, 수십 km의 상공에서 계속해서 가속하는 와중에 음속을 초월했다. 그 표면이 벌겋게 달아오르며 작은 운석처럼도 보인다. 순수한 위치 에너지에 의한 포격이었다. '점퍼'의 점프는 위치 에너지에 관해서 완벽한 해답과도 같은 것이었다.

거대한 규모의 상공까지 올라가는데 눈 하나 깜박일 시간이면 충분했고, JE를 제외한 어떤 힘도 들어가지 않았다.

음속을 넘는 속도로 아래로 꽂히는 철구들은 강철의 비처럼도 보였다. 마이클이 모아둔 탄환들은 그야말로 수 백 개가 넘었다. 한 번에 하나를 옮기는 것이 아니라서, 근력이 허락하는 한 상당한 양을 단번에 투하할 수 있었다. 그것을 백 수십 번 반복해야 한다는 점에서 상당한 노동이었지만, 그 아래의 땅에서 맞이할 환경에 비한다면 더없이 편안하고 안락한 처지임은 분명했다.

음속의 몇 배에 달하는 속도로 날아가 부닥치는 철구들은 그 자체로 전차의 포격보다 두 세배가 넘는 위력을 발휘했고, 점퍼 조직의 감옥섬은 그야말로 현대 화기에 의한 집중 포격을 받는 것과 다름이 없는 처지에 놓였다.

붉게 물든 텅스텐제 철구가 눈에 채 보이지도 않는 속도로 날아들어 지상에 꽂히고 주변을 터뜨린다. 제법 튼튼한 구조로 지었다지만 그래봐야 콘크리트 건물인 감옥이 몇 번의 포격을 버티지 못하고 통째로 부서지기 시작했다.

전차의 포격을 견딜 수 있는 건물 따위는 짓기 어려웠다. 본격적인 방공호가 아니라면 말이다.

점퍼 조직의 감옥 섬에 있던 요원들이나, 죄수들은 때아닌 공습에 피난을 가야 했다. 우선 조직의 점퍼들이 최소한의 보호장구를 걸치고 재빠르게 움직였다. 착탄 지점들은 생각보다는 성긴 화망을 구성했다. 아무리 정확한 예측에 수백 발의 탄환을 쏟아 붓는다고 하더라도 몇 발인가가 부닥치면 사실 성공적인 일이었다.

그 와중에 기지 공습 매뉴얼에 따라 한 곳에 모여있는 요원들을 점퍼들이 최대한 피난시켰다. 아이러니하게도, 수감되어 있는 범죄자들의 도움마저 받았다. 감독관 중 최고 권환을 지닌 요원은 수감자들의 구속구를 해제할 수 있는 키를 갖고 있었고, 그는 상황이 나빠지자 망설임없이 구속을 해제했다.

일단 그들이 도피할 수 있게 해주었고, 그 과정에서 조직의 감독관과 여타 인원들의 구출을 돕는다면 조직에서 그들에 대한 대우에 선처를 해주겠다고 설득했다. 실내 방송이 마비되기 직전에 음성으로 전역에 전파된 방송은 수감자들이 자유를 얻게 했다. 처음에는 쭈뼛대며 죽음의 위기에 도약을 하지 못하던 수감자들도, 점점 가까워지는 포탄 소리에 자기들의 살 길을 도모하며 점프를 해댔다.

일단 범죄자들을 구속하는 것도 중요하고, 통제하는 것도 중요하지만 죽음의 위기 앞에서라면 어쩔 수 없었다. 수인들을 태우고 항해를 하던 배가 만약 폭풍에 휩쓸려 난파되고 만다면 그 안에 있던 이들에 대한 통제나 처우에 대해서 어떤 상위 관리자가 탓을 할 수 있겠는가. 자연 재해 앞에서 인간의 구속이나 통제는 하잘

것 없는 것이었다.

범죄자들이 풀려나는 것은 달갑지 않은 일이었지만, 결국 일을 벌인다면 또 다시 잡아들이면 될 뿐이었다. 처음에 그러했던 대로 말이다.

방침에 따라, 점퍼들이 풀려났고 개들 중 아주 소수, 몇몇은 다른 이들의 탈출을 도왔다.

그리 긴 시간이 지나지 않고 감옥섬, 무인도에 남아 있는 인원들은 없게 되었다.

그 위에 강철의 비처럼, 눈에 보이지도 않는 속도로 얇은 선을 그려내며 섬을 초토화 시키는 탄환들이 내리 꽂혔다.

콰-앙. 그야말로 폭발의 소리였다.

*

그리고 그런 현장의 근처에 민서가 나타났다. 야가미는 민서를 데리고 몇 명의 조직 인원들을 구출시켰다. 민서를 데리고 오기 전에도 그러했고, 데리고 가서 난 다음에도 그러했다. 그 과정에서 다행히 포탄 세례의 범위에 들지는 않았다.

민서는 정신이 다 아찔한 와중이었다. 그리고 이제는 완전히 항상 유지가 가능한 재밍 능력을 발동시켰다. 총탄이나 폭탄이 터지고 있는 곳에서도, 외부 환경과는 관계 없이 JE2를 발현시키는 키 포인트를 잡아챌 수 있었다. 민서의 재밍 능력은 이제 어느새 완성 단계에 가까웠다.

거의 항시 발현에 가까운 재밍 능력의 범위는 수 km였다. 섬의 지면에서는 마이클이나 윤민혁에게 도저히 닿지 않는 거리였다. 우선적인 눈대중이나, 암산으로 거리를 생각했던 야가미는 아무런 반응이 없는 것에 의아해했다. 생각보다 상대는 더 높은 천공에서 이곳을 노리고 있는 모양이었다.

야가미는 거침없이 점프를 사용했다. 보호구를 입은 터라 기초적인 방어의 역할은 될 것이다. 헬멧도 일단은 끼고 있었고. 야가미는 사람이 없는 감옥섬에 포탄이 떨어지는 와중에, 그 수풀 사이 어딘가에서 민서의 어깨에 다시 손을 대었다.

"갑시다."
"으에."

민서는 정신과 달리 몸을 제대로 가누지 못했다. 말 역시도 제대로 나오지 못했고. 야가미는 급박한 사태 속에서 어지간히도 정신이 없는지, 다시 예전처럼 존대 투를 사용했다. 상급자나, 베테랑이라고 위기 가운데 늘 침착할 수 있는 건 아니었다. 그런 건 환상이었지. 인간은 누구나 지독하게 투하되는 폭격과 폭발 속에서 패닉에 빠진다. 다만 다른 이를 바라보고 해야 할 일들을 할 뿐이다. 단순하게 그것 뿐이었다.

귀가 찢어지도록 따가운 폭발음이 주변을 덮고 있었고, 포격의 진동이 섬 전체를 울리는 듯했다. 야가미의 도약이 실행되었다.

후욱, 하고 둘이 섬에서 사라졌다. 태평양 어딘가에 있는 온난 기후의 섬, 수풀 속에서 두 명의 신형이 없어진다.

*

첫 번째로, 야가미는 그대로 상공으로 올라갔다. 지상에서 닿지 않는다면 어디 쯤에 있는 것인가. 민서가 발휘하는 재밍의 범위는 5km를 넘는다. 반경이었고, 민서가 만약 상공에 있다면 완벽한 구 형태의 역장을 형성한다.

야가미는 상공 10km즈음 부근으로 올라섰다. 아무것도 없었다. 쏜 살의 수 배는 빠른 속도로 사라지고 또 낙탄되는 포탄의 흔적도 찾아볼 수 없었다. 상공 바로 위에서 쏟아지는 것은 아닌 모양이었다. 방향은 조금 다를 수 있었다. 10km라면 에베레스트보다 조금 더 높은 고도였다. 이 부근은 항공기들이 비행 궤도로 사용하는 고도였고. 구름이 아래로 보인다. 야가미는 관성을 잃어버렸다가 떨어지기 시작하는 몸을 가누며 민서를 일단 팔을 엇갈려 고정시켰다.

바닥이 없는 허공에서 놓치지 않으려면 이것이 최선이었다. 다소는 거리가 떨어져도 도약 횟수가 충분히 남아 있으니 안전하겠지만, 불필요한 낭비를 볼 필요는 없었다.

야가미는 그대로 다시 상공으로 움직였다.

20km부근, 30km부근.

공기가 희박해지는 곳이었지만 그들이 그 공간에서 오래 버텨야 하는 건 아니었다. 야가미는 계속해서 고도를 높였고, 80km 부근에서 누군가의 흔적을 발견할 수 있었다.

점퍼 조직의 감옥섬에 포격이 착탄되고 나서 불과 수 분 내에 이루어진 추적이었다. 마이클과 윤민혁은 아직 상공에 나타나며 포탄들을 뿌리고 있었다.

마이클과 윤민혁이 있는 곳은 시시각각 변하고 있었고, 때로는 감옥섬의 곧은 상공 위에서 그리 크게 벗어나지 않을 때도 있었다. 우연히 그들의 점프 순간이 겹쳤다. 재머가 근처에 있을 때, 그 반경 수 km 범위의 역장 안에서 점프를 시행한다면 모든 점퍼는 좌표가 김민서의 바로 근처로 고정되게 마련이었다. 홍인수가 그러했던 것처럼.

후욱, 하는 예감이 나쁜 점프의 전조음은 점퍼들끼리 마치 제 2의 청각 속에서 들리는 것과 같이 귓가에 다가온다.

일종의 예감에 가까웠다. JE라는 에너지는 현대의 측정 장비로 그 실체를 확인할 수는 없지만 존재하는 에너지였고, 점퍼들은 때로 그것을 물리적인 감각의 영역 너머에서 느끼고는 했다.

이번 경우에는, 야가미와 김민서가 그것을 먼저 듣고 느꼈다. 재머에게 이끌린 점퍼들은 도약지에 도착해 눈을 뜰 때까지, 자신들의 점프가 궤적의 오류가 생겼다는 걸 인지하지 못한다.

"……."

상공 80km. 지구의 구체의 모습이 보이며 대양과 대륙, 대기의 모습마저 확인할 수 있는 위치에서 네 인간은 서로 마주쳤다. 그야말로 천문학적인 확률이 아닐 수 없었다. 점퍼들은, 그저 순간이동

164

을 한다는 것을 제외하면 한없이 티끌처럼 작고 또 하잘것 없는 존재들이었다. 거대한 자연 속에서 인간의 존재라는 건 그렇게 느껴지게 마련이다.

그 불합리할 정도의 광대함과 숫자의 규모 속에서 인간이 마주친다는 건 불가능에 한없이 가까운 일이다. 그런 일이 벌어졌을 때, 보통의 상식을 가진 이들은 인지에 텀이 생기게 마련이다.

먼저 그들을 발견한 건 역시 도착해 있던 재머와 쉴더였다. 마이클과 윤민혁은, 그들과 마찬가지로 전신을 감싸는 우주복 형태의 방호복을 입고 있었고 제각기 철구들을 나르는 가방이나 함 따위를 들고 있다가 떨어뜨리는 와중이었다. 이미 아래로 추락하고 있는 중에 만난 것이라, 그 만남은 사실 순간이었다.

한 순간이 지나 마이클과 윤민혁이 시야를 회복할 때 즈음엔 이미 그 아래에 있었고, 일단 야가미는 점프를 사용해 다시 그 위에 있는 이들과 정확한 고도를 맞추었다.

잠깐의 텀. 그 상공에서 일을 벌이는 건 제법 대담한 배짱과 기발한 상상력이 필요한 일이었다. 야가미는 한 손으로는 팔을 엇갈리고 어깨 동무를 하듯 김민서를 끼고 있었고, 남는 오른 손으로 장전된 권총을 들었다.

어차피 눈으로 보이는 거리라면 점프는 정확한 위치와 각도, 방향을 설정한 채 실행할 수 있었다. 야가미는 그대로 손을 뻗어 권총을 겨누었다. 그리고 쏜다. 타, 탕!

윤민혁과, 마이클의 경우에는 다시 그들이 아래로 자유 낙하를 하는 과정 중에 그들을 목격하고 총격을 당했다. 아래로 추락하는 속도는 제법 금세 가속도가 붙어서 총격이 정확히 맞지는 않았다. 맞았다고 하더라도, 그들이 입고 있는 방호복 또한 겉멋이 아니었기에 부위에 따라 큰 피해를 입지 않을 수도 있었다.

상당히 질기고 튼튼한 소재와 플레이트가 들어 있는 방호복이었다. 야가미는 아래로 떨어지고 있는 두 적을 확인했고, 자신의 총탄이 빗맞았음을 알았다. 어느새 다시 가속도의 차이에 따라 멀어지는 아래의 두 적이다.

야가미는 눈으로 그들의 모습을 확인했다. 저들이 사라진다면 아마 아주 먼 곳으로 일테다. 그는 그 순간을 확인하기 위해 주시하며 도약을 준비했다.

마이클과 윤민혁은 역시 뜬금없는 상황에 눈을 크게 뜨며, 우주 공간이나 다를 바 없는 곳까지 찾아온 그들에게 찬사를 보내고 싶을 수준의 심정이었다. 윤민혁이 먼저 벗어났다. 긴급한 사태에서, 순서와 상관 없이 먼저 도약을 한 것이다.

마이클은 빤히 그들을 바라보았다. 그는 본질적으로 점퍼가 아니었기에 스스로는 할 수 있는 일이 없었다. 저 지상 어딘가, 텔레포터가 그의 좌표를 확인하고 '불러오기'를 하기 전까지는 말이다. 그는 도리어 투명한 헬멧 안에서 씨익 웃으며 그들의 모습을 확인했다.

어차피 만나기로 하려 했던 이들이다. 점퍼 조직의 점퍼들. 그가 일하던 곳의 구성원들이었고, 심지어 몇몇은 그 얼굴을 알기까지 했다. 마이클이 각 조직에서 최고 연구자는 아니었기에, 그렇게 눈에 띄는 편은 아니었어서 아마 저들은 그를 알아보기 힘들 테였다. 비 점퍼 요원들 중에 몇은 혹시 몰랐지만 말이다.

그리고 마이클도 나름대로 흑발로 염색을 하고, 약간의 성형을 통해서 인상을 바꾼 뒤였다. 눈썰미가 어지간히 예리하지 않다면 스쳐 지나가는 정도로는 그의 모습을 제대로 기억해내기 어려울 테였다.

야가미는 윤민혁이 사라지는 걸 보고 그 근처로 도약을 준비했다. 그리고 마이클이 사라지지 않는 걸 보고는 망설임 없이 총을 쏴 댔다.

타, 타타타탕! 초고도에서 쏘아지는 총알도 다름 없는 총알이었다. 다만 그것의 방아쇠를 당기는 순간에 '텔레포터'가 불러오기를 완료했다. 마이클의 모습은 사라졌고 총알은 애꿎은 허공을 갈랐다.

야가미는 그대로 민서와 어깨동무같은 자세를 한 채였다. 그가 도약을 한다. 근거리였다. 윤민혁이 사라진 곳이 아니라, 마이클이 사라진 지점으로 바꾸었다.

한 템 뒤에 둘이 상공에서 한 번 도약을 했고, 수 초 내에 그 점프의 흔적을 읽어낸 야가미가 '불러오기'로 사라진 마이클의 뒤를 추적했다.

***

윤민혁은 다른 곳으로 점프를 했다. 그러니까, 무작위의 장소 말이다. 그는 도쿄의 어느 뒷골목에 나타난다. "꺅!" 누군가가 그를 보고 짧게 비명을 질렀다. 어떤 여자였다. 윤민혁의 꼴은 몰골이라 해도 좋았다. 때아닌 코스프레 복장과도 비슷했고. 온몸을 덮는 기이한 방호복은 어느 영화에서 튀어나온 우주인이나, 실험실의 과학자와도 비슷했다.

저녁. 일본 대도시의 뒷골목. 사람이 없을 듯했던 그 자리를 지나가던 어떤 여자는 자신이 한눈을 판 사이에 갑자기 나타나 있는 괴한의 인기척에 놀랐고, 그가 하고 있는 행색에 한번 더 놀랐다.

짧은 치마를 입고, 저녁 번화가를 돌아다니며 나름의 스트레스 풀이라도 하려는 듯 보이는 젊은 여성이었다. 윤민혁은 사람의 기척에 피곤하다는 듯 인상을 찌푸리며 그녀를 바라보고는, 그냥 점프로 다시 사라졌다.

아마 높은 확률로, 그와 마이클이 사라졌을 때 조직의 추적자가 그들을 구분할 수 있다면 마이클을 쫓아갈 확률이 높았다.

마이클은 이미 한 번 서울에서의 테러로, 조직의 추적자들에게 그 행색이나 외형이 전달 되었을 가능성이 높았으니까.

어쨌든 그는 몇 번의 점프를 통해 복합적으로 움직였다. 이전에 최길우에게서 도망칠 때와 비슷한 방식이다. 무작위로 세계 곳곳을 점프를 해서 쏘다니고, 그 가운데 물리적인 도망으로 거리를 벌리며 도약 도주의 동선에 혼선을 주면서 말이다.

마이클과 행동을 함께 하면서 알게 된 몇 개의 비밀 거처에 들러서 두터운 방호복을 벗고, 그는 다시금 어느 대도시로 향했다. 자금은 부족하지 않게 있었다. 마이클은 이용 가치에 따라 구성원들에게 돈을 아끼는 편은 아니었고, 나름대로 조직력이나 자본력이 있는 사내였다.

윤민혁은 일단 추적이 시작되었을 그 사태에 섣불리 끼어들려 하지 않았다. 이럴 때는 관여하지 않고 그저 숨죽여 있는 것이 더 도움이 될만했다. 그 추적로에 당장 끼어든다고 그가 해줄 수 있는 일도 제한적일 테고 말이다.

혹 마이클이 잡히더라도, 자신은 신변의 안전을 도모하다가 나중에 그를 빼내오는 것이 차라리 나았다.

윤민혁은 다음으로 프랑스의 한 도시로 위치를 옮겼고, 미리 비밀 거처 여러곳에 환전해 둔 각국의 화폐 중 유로화 지폐를 챙겨 움직인다.

거리에서 당장 눈에 보이는 적당한 호텔에 들어가 체크인을 하고, 그대로 방 안에 투숙하며 머물렀다. 어쨌든 점퍼 조직의 눈에 띄지 않는 것이 중요했다. 이후에 따로 연락을 받든, 접선을 하든 말이다.

점퍼 조직에 대한 트라우마가 어느 정도 작용을 했는지도 모를 일이다.

*

마이클, 정확히 그를 움직인 텔레포터인 유진 쿠퍼는 불길한 예감을 느꼈다. 마이클에게는 지구 대기권 내라면 어디든 위치를 알 수 있는 GPS와, 시야를 공유할 수 있는 작은 카메라를 달아둔 상태였다. 그것으로 초고도 상공에서 대략적인 상황을 그도 같이 공유하는 중이었다.

갑자기 나타난 인물들에 대해서는 유진도 알아챘다.

마이클을 불러오는 일이 다소 시간이 걸렸던 것은, 유진이 있던 자리가 그들의 비밀 거처들 중에서도 꽤나 중요도가 있는 곳이었기에 그러했다. 정확히는, 대체하기 어렵고 비싼 물자들이 모여있는 곳이었다. 마이클이 다양한 일에 사용하는 컴퓨터와, 각종 과학 기계들. 앉은 자리에서 거대한 정보를 수집하고 분석할 수 있는 말하자면 '본부'라고 할만한 곳이었다.

어차피 마이클을 불러올 거라면 추적전을 피할 수 없었다. 그 과정에서 쓸데없이 그들이 형성한 단체와 조직으로서의 실체가 드러나지 않게 하는 것이 중요했다. 유진은 우선은, 그 스스로가 점프를 했다. 중요한 건 감각과 상상력이었다.

어차피 점퍼들이 점프를 하는 데는 물리적인 제약이 없었다. '점프'라고 하는 이 기이한 힘을 다룰 때 점퍼에게 가장 중요한 건 물리 법칙을 뛰어 넘는 가공할만한 상상, 이 무엇보다 중요한지 몰랐다.

추적자의 심리와 예측을 뛰어넘는다면 그 추적을 벗어날 수도 있다는 이야기였다.

유진은 태평양이 아닌 지구 정 반대편 즈음에 점프를 했다. 히말라야 산맥의 한 자락이었다. 눈 덮인 고원, 설산. 추위가 살을 에고 바람이 불어오는 자리에 그가 나타난다.

나타나자마자, 그의 몸을 찌르듯이 느껴지는 추위와 숨 쉬기조차 불편한 환경이 괴롭혔다. 오히려 초고도의 상공보다 더 괴로운 것 같기도 했다. 대기, 기후에 따른 추위가 그렇게 만드는 것 같다.

일단 유진은 그 자리에서 마이클을 불러냈다. 텔레포터는 보통 정해진 대상을 자신이 있는 곳으로 불러오거나, 혹은 자신이 있는 자리에서 다른 어딘가로 송출이 가능하다. 모두 점퍼로서 상당한 기예가 필요한 기술들이었다.

고속으로 움직이는 대상의 좌표를 읽어내고 점프 시키거나, 하는 일들 말이다. 점프의 정밀도에 있어서는 '리시버'라 불리는 점퍼 조직의 요원에 그리 뒤지지 않을 지도 몰랐다.

마이클이 일단 그의 앞에 나타났다. 우주복 같은 옷을 입은 꼴이었다. 그리고 그러자마자, 그는 마이클을 다시 다른 곳으로 보냈다.

마이클이 사라지자마자 유진은 자신의 점프를 준비했다. 한 장소에 두 개의 점프의 흔적이 있다면 추적자는 결국 하나를 골라서 움직일 것이다. 그의 몸이 하나인 이상은 말이다. 화면으로 보였던 두 명의 인형이 모두 점퍼라면 둘 다 각개 추격을 시작하겠지만 말이다. 이 정도 혼선은 있어 줘야 최소한 추적을 끊어낼 가능성이라도 생길 것이었다.

유진이 사라지기 직전, 그는 자신에게 다가오는 도약의 감각을 느꼈다. 추적자는 둘이거나, 혹은 하나이면서 마이클을 쫓아오기로 한 모양이었다. 높은 확률로 그러리라 생각했다. 마이클 샌더스는 이미 그 인상착의가 점퍼 조직에게 노출이 되었다.

어지간히 미친 양반이었다, 자신의 보스는. 그만큼 자신이 있다는 거기도 하겠지만. 보통 일을 그런 식으로 꾸미지는 않는다.

그러나 도리어 그런 대담한 선전포고가 점퍼 조직에게 있어서 초유의 사태를 만들어내고 그들에게 혼란을 주며, 판단력을 상실시키리라는 계산에 있어서는 어느 정도 들어맞기는 했다.

당장 지금도 조직의 건물을 직접 타격하는 일을 벌이면서 그 뒷수습을 하느라 추적자도 한 명밖에 쫓아오고 있지 않았다. 운이 나쁘지 않았다면, 그들은 재머의 존재를 몰랐지만 그가 없었다면 결국 제대로 된 추격도 이루어지지 못할 뻔 했다.

유진은 도약의 직전 누군가가 히말라야 고산의 끝자락으로 넘어오는 것을 보았다. 제대로 인상착의를 확인하기도 전에, 그의 시야가 암전되며 유진이 다른 곳으로 사라졌다.

*

야가미는 여전히 민서와 어깨동무를 한듯한 자세를 유지하고 있었다. 그리고 마이클을 쫓아 도약을 해오자마자, 그 자리에서 인지 가능한 JE의 잔향을 느낄 수 있었다.

이런 류의 추적은 쉴더가 잘하는 일 중 하나였다. 그는 양자택일의 기로에 놓였고, 어느 한 쪽을 일단 따라가기로 했다. 먼저 사라진 쪽이었다. 상대가 아마 추적을 인지하고 있다면, 먼저 점프로 사라진 쪽이 더 중요한 인물일 수도 있었다. 단순한 심리였다. 보다 귀중한 것을 먼저 감추려 하는 사람의.

쉴더는 민서를 데리고 보다 희미한 잔향의 흔적을 더듬어 추적을 했다. 애초에 그 잔향이 너무 옅어, 추적이 어려웠다면 후에 남은 선명한 것을 따라갔을 테지만, 아직까지는 선택의 여지가 남아 있는 순간이었다.

쉴더가 도망자의 뒤를 따라 붙으며 추적을 했다.

민서는, 정신이 없는 상황이었다. 애초에 그 역시 점퍼로서 주체적인 도약을 할 능력이 없었고, 그저 쉴더에게 붙들린 채로 계속해서 도약을 할 뿐이다.

두 사람의 신형 역시 유진이 그러했듯, 차가운 바람이 불어드는 설산의 땅 위에서 사라졌다.

*

마이클은 연속적으로 이어지는 점프에 있어서 완벽한 객체였다. 그에게는 점프 능력이 없다. 다만 그가 어린 시절부터 키워내고, 만들어낸 텔레포터의 능력과 영리함을 믿을 뿐이었다.

그는 다른 곳에 다시금 재도약 되자마자, 자신의 몸이 떨어지고 있다는 것을 느꼈다. 어떤 곳의 상공이었다. 다만 아까와 같이 초고도의 높이여서 지구의 전경이 보일 정도는 아니었다. 비행기보다 조금 낮은 곳, 정도가 될 것이다. 멀리로 한 나라 즈음 되어 보이는 땅덩이의 모습이 관찰되니까 말이다.

그는 그 자리에서 곧장 아래로 낙하했다.

반면, 텔레포터는 바로 그 아래에 있었다. 다른 곳으로 이동을 했지만 실상 위치는 그리 다르지 않은 곳이었다. 그리고 육안을 찌푸리며 눈에 보일지 모르는 마이클의 낙하를 관찰했다. 곧바로 텔레포트를 준비하는 것도 당연했다. 그는 마이클을 보낸 장소에서, 순식간에 위치를 계산해 내어 아래로 떨어지고 있을 그를 대상으로 지정했다.

그 다음에 다시 자신이 있는 곳으로 불러온다.

176

마이클의 도약이 성공적이었다. 유진은 자신의 앞에 있는 그를 확인하고 다시 손을 얹으면서 보내기를 준비한다. 그가 이곳에 도착하기 직전에 추적자 점퍼들을 발견했으니, 약간의 텀이 있고 마이클이 있던 자리로 이동할 테였다. 아마, 지금 쯤일 것이다. 그가 오자마자 순간의 시간을 지체한 뒤에 마이클을 불러왔으니.

유진은 마이클을 데리고 다시 도약을 했다. 이번에는 단순한 단체 도약이었다. 그들이 나타난 곳은 동남아시아, 태국의 어느 시골이었다. 다양한 곳에 비밀 거처를 만들어두었지만 간단하게 도주로로 택하고 그것들을 상대에게 알려줄 생각은 없었다. 최대한 다양한 루트를 이용해 도망칠 생각이었다.

또한 그 자신에게 남은 도약 횟수가 얼마 남지 않은 것도 있었다. 최대한 몇 회 안의 점프로 저들의 추적을 끊어내야 했다. 유진은 마이클이 마침 우주복 비슷한 것을 입고 있다는 것을 이용하기로 했다. 상대가 가더라도 따라가기 어려운 곳으로 간다면 추적을 피할 수 있었다.

유진은, 마이클을 곧바로 '보내기'로 움직일 준비를 했다. 반 호흡 정도의 시간이 지나고 시야가 회복하고, 조금 뒤 연속적으로 마이클의 모습이 사라졌다.

유진은 그를 보낸 뒤 곧바로 자신 역시 어딘가로 모습을 감추었다. 그리고, 이번에는 도약이 완벽히 진행되기 전에 따라붙는 추적자들의 모습을 확연히 확인할 수 있었다.

서로를 부축하듯 어깨 동무를 하고 있는 두 동양인 사내였다. 각기 헬멧 따위를 끼고 있었고, 한 손에는 총을 들고 있다. 위험했다. 유진은 점퍼라는 능력에 있어서 기예에 가까운 힘을 갖지만, 근접전에는 영 소질이 없었다. 소형화기를 이용한 근거리 교전 역시 마찬가지였고.

유진의 모습이 사라졌고, 김민서와 야가미는 다시 양자택일의 기로에 서야 했다.

그리고, 먼저 점프를 해서 이미 잔향이 희미해진 JE의 흔적이 가리키는 곳이 어디인가를 깨달은 야가미는 그쪽에 대한 추적을 포기했다.

만약 다른 수단이 없고, 쫓아야 할 흔적이 하나 뿐이라면 포기할 정도는 아니었다. 어쨌든 누군가가 점프를 했다는 건 생존에 대한 보장성이 있기 때문에 했을 것이니까. 그러나 그것이 지나치게 위험한 길이라고 한다면 추적자로서 다소 망설여지는 것도 사실이었다.

야가미는 조금 더 선명하게 남은 점프의 흔적을 쫓기로 했다.

그가 유진이 사라졌던 장소 근처에 다가서며 민서와 함께 단체 도약을 했다.

*

유진은 일단 마이클을 우주로 날려버렸다.

보스에 대한 억하심정이나, 때아닌 배신에 대한 욕구가 넘쳐 올라서 그렇게 한 것은 아니었다. 일단 일시적으로 추적을 떼어놓기 위해서 선택한 행동이었고, 일단은 우주복 비슷한 것을 입고 있기도 했으니 얼마간은 버티리라는 계산이었다.

실제로 다른 물리적 요인이 아니라면 사람이 우주 공간에 노출된다고 순식간에 목숨을 잃지 않기도 하고 말이다. 실제로 죽기까지는 질식사까지의 시간이 걸린다. 그 외에는 보스가 알아서 침착하게, 장기에 손상이 가지 않도록 잘 처신하고 있기를 바랄 뿐이었고.

이제 유진 스스로의 안전만 확보를 한다면 보스를 다시 불러올 셈이었다. 그 시간이 길어질수록 불러오기에 어려움이 커진다. 최악의 사태에는, 예측할 수 없는 우주의 어떤 변수로 인해서 이대로 보스를 잃어버릴 수도 있었다.

뭐 어차피, 모든 일들은 목숨을 걸고 하는 것이었지만 말이다. 테러리스트들이 목숨을 걸지 않는다고 하면 그것만큼 우스운 일도 또 없을 것이다.

유진은 윤민혁과 비슷한 행동을 취했다. 어딘가로 점프를 한 뒤에, 비밀 장소로 숨어드는 것이다. 다만 윤민혁은 그것을 정글의 수풀 속에서 만들어둔 은신처로 행했고, 유진과 마이클은 다소 현대화된 장소에 구축한 은신처를 사용한다는 점이 달랐다.

유진은 미국 어느 번화가, 낡은 빌딩 건물에 모습을 드러냈다. 그들이 이루고 있는 조직에서 매입해 사용하는 건물이었다. 평범해 보이지만, 몇 가지 트릭같은 장치가 되어 있어서 사람들의 눈을 속이기가 좋았다.

유진은 약 15층은 되는 낡은 빌딩의 상층부에 있었다. 정확히 말하자면 12층 복도의 한 구석이었다. 길게 뻗는 복도와 녹이 슨 철제 문들이 나열해있는 곳이었다. 그러나 문이 아닌 곳 중에 통로가 될만한 곳이 있기도 하다.

바로 도착한다면 결코 알아챌 수 없는 장소였다. 건물의 외곽에서 유심히 관찰을 한다면 혹시 알 수 있을지도 모르겠지만. 유진은 그대로 복도 끝의 벽에 등을 기대었다. 원래 거기는 건물의 외벽과 이어지는 곳이었지만, 실제 거리를 재어보면 외벽은 아니었다. '가벽'에 가까운 것이었다. 벽과 똑같은 질감으로 터치를 하고 가장을 해두었을 뿐이지.

소재 또한 벽과 같은 튼튼한 것이라 정해진 버튼을 알지 못한다면 통로로서 이용할 수 없었다. 유진은 그대로 등을 기대어 꾸욱 벽을 누르며 왼손을 더듬었다. 선 자리에서 유진의 키높이로 친다면, 엉덩이 부근에 있는 작은 버튼이 있었다. 손 끝의 감각으로 만졌을 때 다른 부분과 달리 살짝 두드러진 돌기같은 느낌이었고, 한 걸음 뒤에서 본다면 결코 찾을 수 없는 흔적이었다.

그 돌기에서 한 뼘 아래 위치. 그는 그곳을 주먹으로 쿵, 쳤다. 타격감과 함께 벽의 일부가 슬쩍 들어갔다. 마치 스펀지가 눌려서 안으로 패이듯한 변화였다. 그러면서 등을 밀자 유진이 기대고 있던 곳의 벽면이 분리되며, 마치 회전문처럼 돌아가기 시작했다. 간단한 변화였으나 조금의 시간이 늦춰진다면 알아채기 어려운 트릭이었다. 유진은 그대로 그 회전문에 등을 기댄채 벽의 뒤쪽으로 사라졌다.

아까와 같은 건물의 벽이었으나 그 반대면이다. 반대면 역시 낡은 빌딩에 어울리는 톤과 질감으로 꾸며진 똑같은 벽이다. 벽이 돌아가면서 바닥에 마찰로 인해 긁히는 흔적은 없었다. 돌아가는 부분은, 말하자면 벽의 정 가운데의 일부 뿐이었다. 유진은 그 안으로 익숙하다는 듯이 사라졌다.

벽면의 뒤로 몸을 뉘여 사라지고 나면, 그 안에 비밀 공간이 나타난다. 단순한 밀실은 아니었고, 다른 비밀 공간과 통하며 종래에는 바깥으로 나갈 수 있는 곳이었다. 일단 유진은 그 비밀 공간 내부의 이동용 통로를 통해서 빌딩의 아래로 쭉 내려갔다. 가급적이면 빠르게, 거의 떨어지듯 한 속도로 미끄럼틀처럼 구성되어 있는 장치를 이용해 내려간다. 적절한 크기의 통로라 원한다면 가볍게 발을 대는 것으로 멈출 수 있기도 했다.

유진은 주욱 속도를 유지하며 내려가다가 마찰을 더 주어서 멈추었고, 건물의 2층과 이어진 비밀 밀실로 움직였다.

아마, 이 정도 거리가 된다면 점퍼들도 JE를 느끼기 어려울 테였다. 유진은 곧바로 자신이 마이클을 보낸 곳을 점프의 시도와 취소로 수색했다. 한 번에, 자신의 체면적과 같은 넓이에 어떤 형상의 물질이 채우고 있는지를 알 수 있는 수색법이었다.

능숙하다면 순식간에 한 번의 도약 횟수의 상실도 없이, 몇 번이나 해내며 꽤나 실전적인 범위를 탐색할 수조차 있었다. 우주라는 공간은 그러기에는 단위가 다소 다른 곳이었지만, 어쨌든 유진은 필생의 집중력을 다해 보스의 흔적을 찾았다. 다행히, 그는 아직 유진이 보낸 자리에서 멀리 떨어진 곳에 있지 않았다.

박사 자신이 유진의 속셈을 깨닫고 일부러 현재 위치를 고수하고 있었을 수도 있다. 유진은 마이클을 우주 공간에서 불러내었다.

그가 진공 상태의 우주에 체류하다가 다시 들어오기까지, 1분이 걸리지 않았다.

***

마이클의 시점에서, 그는 계속해서 도약이 시행되고 있다는 걸 느끼고 있었다. 시야가 암전되었다가 돌아왔다가, 혹은 그의 시야가 돌아오기도 전에 곧바로 다음 점프가 이어졌다.

그가 하고 있는 것은 아무것도 없었다. 그저 힘을 빼고 자신이 만들어낸 작품이 상황을 해결해나가는 것을 믿을 뿐이었다.

불안함을 가질 만도 한 상황이었지만, 가진다고 상황이 변하는 것도 아니었다. 점퍼들의 추격전에 있어서 그가 할 수 있는 것은 굉장히 제한적이었다. 고작해야 다가오는 점퍼의 빈틈을 노려 총으로 기습을 해보는 걸까. 그것도 상대가 근접 교전에 익숙한 상대라면 통하지 않을 확률이 높았다.

그는 점퍼 조직의 비전투 인원의 시점에서 점퍼들이 임무를 해결하는 것을 본 기억이 있었다. 개중에서도 특수한 전투 요원들은, 점프 능력과 탁월한 신체 능력으로 비현실적인 퍼포먼스를 보여주고는 한다. 전투직과 관련 없는 이들이 어지간한 기적이 없이 상처를 입힐만한 자들이 아니었다.

어쨌든 마이클은 확률이 적은 저항은 관두고 유진이 이끄는대로 움직였다. 그리고, 그가 마지막에 도약을 멈추었다고 느끼고 눈을 뜬 곳은

새까만 우주였다.

갑자기 지구 상에서 눈을 감았다 뜨니 우주였다, 라는 이야기는 글자로 듣고 보는 것 이상의 당혹감이었다.

마이클은 물리학 박사로 다양한 천체물리학 지식을 갖고 있었지만, 지식으로 아는 것과 상황에 처하는 것은 별개의 일이었다. 그리고 어지간한 담력과 심장을 갖고 있는 그였지만, 나름대로 상식의 틀을 벗어나기 어려운 인간이기도 한 그였기에 어느 정도 당황감을 가질 수 밖에 없었다.

그럴 수 있다, 라고 머릿속으로만 생각한 작전이었지만 실제로 맞닥뜨리는 상황은 아무래도 다른 것이다.

184

그는 광활한 우주 공간에 홀로 떠 있었다. 얇은 형태의 방호복은 분명 우주복과 비슷한, 혹은 그보다 더 튼튼하고 질 좋은 효과를 지닌 복장이기는 했다. 산소통이 없는 건 문제였지만. 내부의 공기로도 약간은 버틸 수 있었다. 단순하게 숨을 멈추어도 좋았고. 당장 무방비하게 진공 상태에 노출되지 않았다는 것만이 그에게 있는 위안이었다.

아무래도 하기 싫고, 과학자이며 이성을 평생 갈고 닦으며 인생을 이끌어 온 그로서 떠올리기 싫은 불안감이었지만 이대로 유진이 실수를 하거나, 지상에서의 상황에 문제가 생긴다면 그는 이대로 여기서 인생을 마감하는 것이었다.

점퍼간의 갑작스러운 추격전을 벌이고, 그 과정에서 아무런 예고도 예상도, 계획도 없이 이렇게 마지막을 맞이한다면 냉철한 계획가인 그로서 최악의 결말이라 할 수 있었다.

그러나, 그런 일이 벌어진다면 또 받아들여야 하는 것이 인생이기도 하다. 늘 그럴싸하고 또 좋은 일들만 일어나는 것이 현실이 아니었기에.

물론 논리적인 이야기였고, 개인으로서는 받아들일 수 있는 상황은 아니다.

마이클은 우주를 바라보았다. 별들을 바라보는 게 이토록, 고요하고 무서우며 또 당혹스러운 일인 줄은 알지 못했다. 지상에서보다 훨씬 가까울 게 분명하지만, 여전히 의미 없는 수준의 먼 간극이 있는 별빛들을 그의 시야에 담았다.

다른 촉감들은 기이한 이질감이 들었다. 어쩌면 상상일지도 모른다. 진공 상태의 우주공간. 방호복 내부 상태의 변화는 당장 없었지만 그저 주변을 인식하는 것만으로 몸이 이상이 생기는 것만 같기도 하다.

차가운 우주의 냉기가 그의 몸을 감싸는 것 같기도 했고. 그는 우주 공간에서 기본적으로 멈추어 있었다. 그리고 침착함을 최대한 가장하든, 유도하든 해서 움직이지 않으려 했다. 유진이 그를 다시 '불러오기'하려면 지금의 좌표 그대로 있는 것이 가장 좋았다. 적극적으로 움직이는 건 다시 말해서 이 상황에서 적극적으로 죽고 싶다는 이야기와 같은 것이었다.

널뛰려는 심장을 가다듬는 건, 그래. 심해에 잠수한 프리 다이버가 아무런 장비도 없이 그 자연 속에서 애써 침착함을 유지하려고 하는 일과 비슷했다. 사람은 침착함에 따라서 순식간에 동시간 대비 소모하는 산소량이 급증하거나 급락한다.

산소량에 대해서도 그러했고, 곧 이어질 다음 상황에 대한 대비로도 그러했다. 마이클에게는 그 순간 나름의 믿음과 침착함이 필요했다.

물리학자로서 나름대로 의미 있는 순간일지 몰랐다. 지구가 어느 방향에 있는지도 제대로 알 수 없는 까마득한 우주에 맨몸으로 던져져서, 그야말로 자유롭게 전방위로 뻗어오는 별빛을 맞이하며 감상한다는 건 말이다. 다시 돌아갈 수만 있다면 가히 지구 최고의 유희거리라고 해도 좋을만한 일이었다.

그러니까,

다시 돌아갈 수만 있다면.

다행히 그가 시꺼먼 공허 속에서 자신의 마음을 들여다 봐야하나 싶을 정도로 침체되기 직전에 상황의 변화가 찾아왔다.

익숙한 도약의 감각이 그를 감쌌다. 유진으로부터 이어지는 '불러오기' 도약이었다. 텔레포터는 다행히 지상에서 아무런 문제도 없이 대피처를 찾았고 추적을 피한 모양이었다.

오래 있다간 정신이 나갈지도 모르는 거대한 어둠과 공허 가운데서 마이클은 차라리 안락한 시야의 암전을 겪으며 도약으로 사라졌다.

지구로부터 수천만 km정도 떨어진 어딘가에서, 돌아가는 길이었다.

　　　　*

마이클은 다시, 자신의 몸이 중력의 영향을 받는 걸 느끼며 내색하기 어려운 안도감을 느꼈다.

자신의 작품이 해냈다.

품위 없이 욕지거리를 내뱉지는 않았다. 다만 땅바닥이 얼마나 소중한지 다시금 알게 될 뿐이었다.

그리고 떠지는 시야는 익숙한 장소였다. 그들이 만들어 둔 비밀 거처, 대피소는 여러 곳이 있었따. 세계 각지에 수백 개 단위가 될 정도로 말이다.

개중에서도 제법 쓸만한 곳 중 하나였다. 낡은 빌딩 하나를 개조해서 만들어 둔 비밀방이 있는 장소. 순식간에 모습을 감추기에도 좋았고, 간단한 트릭이었지만 도리어 점프 능력에 집중하기 쉬운 점퍼간의 추적전에서 상대를 따돌리기에 쓸만했다.

이런 평범한 준비점들이 결국 승부의 순간에서 결과를 가르게 마련이었다.

낡은 빌딩에 어울리는 인테리어였다. 비밀 방의 내부도 별다른 가구는 없었고. 값싼 카페트와 쉴 수 있는 의자와 소파, 간이 침대. 간단한 식료 정도였다. 소형 총화기도 몇 정, 그리고 그 탄약도 어느 정도 있었고 말이다.

전체적으로 웜 톤의 배색이었다. 낡은 벽지와 어우러지는 다양한 싸구려 가구들의 색 또한 말이다. 마이클은 자연스럽게, 무중력에 잠시 적응했던 몸을 소파에 뉘이며 입을 열었다.

"···따돌렸군."

유진은 입매만 끌어올려 웃으면서 답했다. 표정이 그리 다양한 편은 아니었다, 늘.

"예 뭐. 생각보다 집요한 편은 아니었던 것 같습니다."

유진 역시 다른 의자에 앉아 있었다. 동양인 청년과, 검은색으로 머리를 염색한 미국인 박사는 그렇게 잠시 걸터앉아 쉬기로 했다.

미치광이같은 짓조차 인간은 휴식을 필요로 했다.

*

결과적으로 마이클과 유진이 점퍼 조직의 추적을 피할 수 있었던 건 몇 개의 기적적인 타이밍이 겹쳐서였다.

'재머'가 역장을 발휘하는 순간에 점프가 발동된다면 그 범위 내부의 점퍼는 모조리 재머의 앞에 도달하게 된다.

그러나 민서와 야가미는, 그 순간 낡은 아파트 빌딩에 도착한 뒤 상대의 흔적을 놓쳤다는 사실에 주변을 더듬었다. 그리고 별다른 단서를 찾지 못했고, 상대가 벌인 점프의 흔적도 찾지 못했기에 잠시 빌딩 외관을 바라볼 수 있는 곳으로 위치를 옮기기 위해 도약을 했다.

야가미와 민서가 점프를 하는 그 순간이 텔레포터가 마이클을 우주에서 건물 내부로 불러들이는 순간이었다.

일순간, 그 주변 지대에서 민서가 공간에 존재하지 않았던 타이밍에 맞추어 마이클이 공간이동으로 모습을 나타낸다. JE2는 JE와 밀접한 연관을 가지고 있었고, 그 힘은 점프의 전후 과정 중간, 아주 일순간 효력을 잃어버리게 되었다. 그건 민서가 일종의 JE를 가지면서 점프를 할 수 없는 것과도 비슷한 맥락으로 보였다.

JE2를 발휘하면서 동시에 JE를 이용해 점프를 할 수 없다. 민서가 점프에 참여하는 그 잠시, 다른 점퍼의 JE에 의해 몸이 감싸진 짧은 시간 동안 역장이 해제되는 것이다.

마이클과 유진은 아직 '재머'에 대해서 정확하게 파악하고 있지 못했다. 그들이 인지하는 건 천문학적인 확률로 갑자기 나타난 조직의 점퍼의 모습이었고, 그들이 그들을 추격하고 있다는 것 뿐이었다.

딱히 자신의 위치에 대해서 대조할 거리가 마땅찮은 고고도의 상공에서 벌어진 왜곡이었고, 다급한 상황이었기에 벌어진 오류에 대해서 제대로 인지하지 못했다.

그런 채로 벌인 추적전에서, 우연한 시간의 기적으로 도망을 칠 수 있었던 게 놀라운 일이었다.

야가미와 민서는 그들이 찾아온 건물의 외벽을 바라볼 수 있는, 건너편의 더 높은 빌딩의 옥상으로 자리를 옮겼다. 그곳에는 아무 사람도 없었다. 아직 해도 뜨지 않은 캄캄한 새벽이었다, 뉴욕은.

둘은 건물의 외벽을 달빛이나 거리의 조명에 의지해서 한동안 살폈지만 이상한 점은 찾을 수 없었다. 다시 그들은 아까 이동했던 건물의 자리로 옮겨서, 미상의 도주자 점퍼가 도망을 쳤을 공간이나 루트를 찾아보려 했지만 결국 쉽사리 발견할 수 없었다.

한 순간의 일이었을테니 분명 물리적인 방법으로 이동을 했을 텐데. 알 수 없는 노릇이었다. 그 순간 헬기 따위라도 창가에 대기를 하고 있다가 순식간에 타고 먼 곳으로 가기라도 했다는 말인가. 야가미는 그렇게 느껴졌다.

그들은 일단, 시경찰에 수배 도움을 요청하며 추적전의 일단락을 지어야 했다.

*

조직에 있어서는 유례 없는 비상 상황이었다.

사상자는 생각보다 적었다. 운석처럼 상공에서 떨어졌던 포격들은 생각보다 화망이 좁은 편은 아니었고, 어느 정도 시간차마저 있었다.

물론 점퍼 조직의 감옥섬 자체는 초토화가 되었고 시설물 역시

192

있었던 흔적을 다시 상상해내기 어려운 수준으로 부수어지고 말았지만. 그 내부에 있던 이들은 제법 기민한 대처로 빠르게 대피를 해냈다.

순식간에 죄수들에 대한 처우를 결정 내리고 메뉴얼에 따라 점프 포인트에 모여 있다가 조직의 구출을 받은 것이 주요한 요인이었다.

조직의 요원들인 감독관들은 자신의 위치에서 각 가장 가까운 점프 포인트로 대피해서 모여 있었고, 연락을 받자 마자 조직의 여력이 있는 점퍼들이 빠르게 대처를 해서 그들을 구출했다.

수감자들은 각자 도생의 길을 걸어 탈출을 하거나, 혹은 몇 명은 조직의 감독관들의 생명을 구해주고 보다 나은 대우에서 살아갈 수 있도록 보답을 받았다.

도저히 교화가 불가능한 듯 보이는 통제 불능의 사이코들의 경우 점퍼 감옥에 수감을 한 채 묶어두지만, 조금이라도 교화의 여지가 있고 대화가 통할 가능성이 있다면 어지간하면 그 능력을 사회에 환원하도록 돌리는 편이었다. 어찌 되었든 JE라는 건, 점프라는 능력은 현 지구에서 대체가 불가능한 귀중하고 특이한 자원이었으니 말이다.

현실적으로 해결이 어려운 상황에서마저 손쉬운 해결책이 될 수도 있는 키포인트였다. 점프라는 건. 각국의 수뇌부들 역시 난국에서 그 타개책을 점퍼 조직에게서 찾은 적이 아주 많기도 했고.

젊거나 어린 시절, 다른 상식적인 사상적 영향을 적게 받고 다른 이들과 공감할 수 없는 능력과 조건으로 인해서 일탈처럼 저지른 짓이라면 대개는 참작을 하는 편이었다.

올바른 사용법을 알려주면 될 일이었으니까. 송일우나 옌이 잡혀 들어왔다가 조직을 위해서 능력을 사용하게 되는 것과 비슷한 일이었다.

감옥 시설의 붕괴는 어쨌든, 물리적인 손괴와 재산상의 피해 외에도 구속해 두었던 점퍼들이 자유를 얻었다는 점에 있어서도 점퍼 조직에게 부담을 더하는 일이었다.

앉은 채로 죽게 할 수 없어서 풀어준 것이지만, 어쨌든 어떤 일을 벌일 지 모르는 점퍼들이 전 세계에 더욱 분포된 상황이었으니.

점퍼 조직이 늘 감당하고 유지하려 애쓰는 가상의 리스크 수치가 다소 올라간 것이다.

그리고 아직 잡히지 않은 위험한 테러리스트의 문제가 있었다.

이미 두 번이나 대대적인 폭격을 감행하고도 잡히지 않은 이들은 용의주도한 작태를 보여주고 있었다. 이전까지와 달리 점퍼 조직의 존재를 알고 준비를 해 온 듯한 낌새가 보였다.

그렇지 않다면 이토록 확실하게, 자신들을 대적할 단체의 움직임을 예상하고 도주로를 짜고 또 정확하게 공격을 벌일 수는 없었다.

커맨더는 이전에 했던 자신의 예상이 맞았음을 더욱 확신하고 점퍼 조직에 한 번이라도 발을 담갔던 이들을 위주로 추적을 실시하고 있었다.

야가미와 김민서가 비록 상대의 종적을 놓쳤지만 아예 끝난 것은 아니었다. 어차피 상대가 목적이 있다면 그들은 반드시 다시 모습을 드러낼 테였다.

결국 점퍼 조직은 항상성을 유지하며 세계 질서의 유지에 이바지하기 위해 애를 쓸 테였고, 그런 움직임이 마음에 들지 않아 그들이 공격을 해오는 것이었을 테니 말이다.

그리고, 윤민혁이 감옥에서 탈주를 한 뒤에 그들에게 붙었다는 사실 또한 염두에 두어야 할 점이었다. 윤민혁은 점퍼들 중, 아니 모든 사람들 중 드문 정도로 확실하게 싸울 수 있는 인간 중 하나였다. 탁월한 전투력을 보유하고 있었고, 그런 힘이 점퍼에게 주어졌을 때의 시너지 효과는 상상을 초월하게 마련이다.

홍인수같은 존재가 단적으로 보여주고 있었다. 윤민혁은 그런 부류의 인간이었고, 반드시 회유하거나 잡아두어야 할 인물이었다.

상대가 어떤 점퍼이고 인물인지 알 수 없었지만 윤민혁의 가담은 조직의 위험 부담을 폭증시키는 일이었다.

조직은 거의 임전 태세에 준하는 상태로 돌입하고 있었다. 각 조직원들의 경계심이나 마음가짐의 문제도 있었고, 본격적으로 전투나 전쟁을 준비하는 물자의 운용 또한 있었다.

상대가 조직을 무너뜨릴 수도 있는 수준의 역량이라면, 전투에 있어서 여유롭게 처지를 봐줄 수 있는 상황은 아니었다. 가능하다면 생포하되, 사살을 염두에 두고 대비를 해야 한다.

교전 지역에 따라서 화력의 아낌없는 투사도 망설일 필요 없었고.

점퍼 전투 요원들은 24시 교전을 염두에 두고 활동을 하기 시작했다. 기본적으로 방탄 피복을 입고 있었고, 헬멧 따위의 장구류 역시 자신이 움직일 때 늘 소지를 했다.

간단한 소형화기, 권총과 충분한 탄약 정도의 무장 상태를 유지하고 있었고.

점퍼 조직의 기지 역시 언제 비상 상황을 맞이할지 모른다는 생각에 전시에 준하는 물자 준비 태세를 갖추고 있었다.

'점퍼'가 조직을 노리는 상황은 극히 드문 상황이기도 했다. 보통은 조직의 존재조차 모르는 경우가 많았고, 안다고 하더라도 개인으로서 조직에게 덤비는 이들은 극히 드문 경우였다.

또한 덤빈다고 하더라도, 점퍼 조직이 만들어지고 유지되는 건 그저 노름판에서 따낸 결과가 아니었기에 실제적인 전투력에서 무너지는 것이 보통이다.

이렇게 용의주도하게 조직을 상대하는 건 근 한 세대로 분류할 수 있는 2-30년간 없었던 일이었다. 점퍼 조직 자체가 몸살 감기를 앓듯 조직과 체제를 키워내고 유지하면서 겪어야 했던 전쟁들은 보통 전 세대의 것들이었다.

그 마지막 발버둥이나, 전쟁의 끄트머리를 경험한 것들이 현재 조직의 수뇌부들이었고. 커맨더나, 코치같은 이들 말이다.

이런 상황에서 가장 태도가 달라지는 건 '쉴더'였다. 그는 점퍼를 통한 암살 시도에서 가장 주요하게 쓰임 받는 유닛이었으니.

다소 한직에 가까운 임무들을 받으며 조직 내외를 배회했던 이전과는 달리 조직에서 가장 곤두선 긴장감을 가져야 하는 인원이 되고 만다. 수성전의 전문가란 그런 법이었다. 일방적으로 공세를 펼치던 전황에서는 그다지 애를 쓸 것이 없었지만.

수세가 된다면 누구보다 앞장 서서 방패막이가 되어야 한다.

쉴더는 일단 수뇌부, 커맨더의 곁에서 임무를 수행했다. 재머로서 점퍼 기지의 주요 전략 자원이며 또 자체적인 점프 능력이 없는 김민서 역시 주요한 보호 대상이었지만, 그건 다른 전투 요원을 붙여주어도 어느 정도 해결이 가능한 상황이었다.

조직이 혼란에 빠지지 않도록 지휘부를 지키는 것이 일단 쉴더의 역할이었다. 전시에 커맨더는 평시보다 더 주요한 인물이 되게마련이었다. 점퍼 조직의 운영은 실상 소규모 사병 부대, 군사 회사와 마찬가지였고- 소규모 군부대의 운영과 비슷한 것이었으니.

부대의 총 지휘관의 판단력은 전황의 향방을 결정짓는 것이었다.

그런 점에서, 폭격이 있었던 12월 1일 다음 날, 12월 2일부터 야가미는 조직의 커맨더와 깊은 교류의 시간을 가져야 했다.

어떤 상황이 있든 따라붙어 움직이게 된 것이다.

"……."

커맨더는 지휘관실에 앉아서 상황 보고를 듣고 머릿속으로 다양한 생각들을 하고 있었다. 상대의 심리를 읽는 것이 전략에서는 가장 중요한 일 중 하나였다.

내가 상대방이라면, 어떻게 움직일까.

과감하고, 전략적이며 치밀한 계획을 짜고 준비를 해오는 적이다. 다른 사람들의 시선이나 피해 따위를 전혀 신경쓰지 않는 사이코패스인데 대담한 행동성과 상당한 규모의 일을 벌일 수 있는 자본또한 갖춘 듯 하다.

점퍼 조직의 형태에 대해서 미리 알고 있었고, 상당한 수준의 기밀에도 닿아 있는 듯하다. 그 정도라면 상당히 핵심적인 부처에서 일을 했던 이와 연이 닿아 있거나, 그 본인일 테였다.

최근 20년 간 점퍼 요원으로서 활동을 했다가 은퇴를 한 이들의 명단은 커맨더가 모조리 외우고 있었다. 그가 현역으로 활동하던 때의 인물이었고, 또 그가 지휘관으로서 조직을 지휘할 때의 인물들이었으니.

한 세대에 점퍼가 백여 명을 조금 넘는 정도라는 걸 생각했을 때, 충분히 외울 수 있는 숫자였다.

그는 입을 꾹 다문채 집무 테이블에 앉아서 등을 뒤로 기대어 깊은 고민을 하고 있었다.

그의 머릿속에 떠오르는 점퍼 요원들 중 조직을 배신할만한 대상은 떠오르지 않는다. 그들 각각의 개성과 집안 사정들까지 알고 있는 그로서는 그러했다. 게다가 어느 정도 조직에서 추적 또한 하고 있어서, 최소한의 알리바이나 대략적인 생활상까지도 파악을 하고 있었다.

대개는 점퍼 요원으로서 헌신한 대가로, 풍족한 돈을 받고 여유로운 은퇴 생활을 즐기는 이들이 대부분이었다.

그들이 수십 년간의 조직에 헌신하는 기간 동안 다른 장대한 계획을 품고 있다가, 돌연 평온한 노후 생활을 포기하고 일을 벌였다고 생각하기는 어려웠다.

그리고 젊은 나이에 벗어난 이들 또한 신체적 문제가 있는 자들이었고, 그 외에도 조직이라는 공동체 내에서도 다양한 임무를 수행하기에 어려움을 겪는 이들이었다.

그런 자들 중에서 수많은 사람들을 완벽하게 속이고 작게는 수년에서 수십년 간 연기를 한뒤에 갑자기 조직을 향해 칼을 들이밀 자가 있다고 생각하기는 어려웠다. 짧은 기간은 누군가를 속일 수 있어도, 아주 긴 기간 그러기는 어려운 법이었다.

연기의 아이러니는 늘 그 속에서 진짜 자신이 도리어 더 잘 보이게 된다는 점이었다.

그렇다면 누구인가. 모두가 알리바이를 갖는 상황에서 지금의 적은.

진실로 갑자기 하늘에서 솟아나듯이 자연적으로 발생한 점퍼 중한 명이 우연히 저런 수준의 지원을 얻고 계략을 꾸며서 점퍼 조직을 적대하게 되었다고 생각해야 하는가.

조직에서 점퍼로 착각하고 있는 '마이클'은 아무리 잘 쳐주어도 30대 중후반 이하로는 보기 어려운 인물이었다.

보통 대부분 자연적으로 발생하는 점퍼들은 20대에 조직의 레이더 망에 걸리게 마련이다. 그 능력을 적극적으로 사용하며 사회에 영향을 끼치기 시작한다면 말이다. 능력을 봉인한 채 긴 세월을 그저 다른 이들 속에서 살아간다면 조직으로서도 알 수 있는 방법이 전혀 없었지만. 그런 경후가 흔하지는 않다.

커맨더의 고민이 깊어갈 수록 미간에 주름이 깊어졌다. 그 집무실 책상 옆에 시립한 채로 있던 '야가미 소우타'는 조금 다리가 뻐근해졌다.

기본적인 메뉴얼은, 언제 어디서나 즉각 대처할 수 있도록 하는 것이었다. 그러나 실제로 임무를 잘 수행하기 위해서 약간의 유동성은 발휘해도 좋을 것이다.

야가미는 커맨더의 옆에서 민망하게 계속 서 있다가, 그것이 한 수시간째 변동이 없이 이어지자 슬쩍 위치를 바꾸어서 지휘관실의 다른 의자에 다가가 조용히 앉았다.

커맨더는 손가락으로 볼 어림이나 턱을 찔러 괴고는 날카로운 눈빛으로 어딘가를 바라보다가 야가미가 눈에 들어와 처다 보았다.

야가미는 헝클어진 더벅 머리를 슬쩍 정리하며 자리에 앉고 있었고. 평범한 다운 점퍼에 청바지를 입고 있는 차림이었다. 손가락에 낀 은색의 반지는 미혼이라 결혼을 뜻하는 것은 아니었고, 연인과 맞춘 것이었다.

'브레이커'라고 불리는 메리 포핀스와 짝을 맞춘 반지이다.

커맨더, 한형석이 문득 입을 열었다.

"자네 진짜로 24시간 대기할 건가?"

당신이 전시체제로 유지하라고 조직에 발령을 해놓고 무슨 소리십니까, 라는 눈빛으로 야가미가 형석을 쳐다보았다.

한형석은 두툼한 볼을 긁적이며 말했다.

"아니 실제 상황 벌어지기 전부터 이렇게 FM으로 하다가 정작 중요할 때 퍼지려는 건 아니겠지?"

야가미는 잠깐 흐린 눈으로 형석 너머, 집무실의 벽 어딘가를 쳐다보면서 멘탈을 다잡고 입을 열었다.

"예 뭐… 그런 일은 없을 겁니다. 쉴더라는 코드 네임을 받았을 때부터 준비하던 상황이니까요."

전쟁이 길어질수록 쉴더의 부담감은 커져간다. 보호 대상인 지휘관의 생체 주기에 따라서, 같이 식사를 하고 같은 시간에 화장실을 가고, 같이 씻고 하는 식으로 리듬을 맞추어야 했다.

어지간히 체력이나 정신력이 소모되는 일이었지만. 야가미는 그래도 그런 일에 능숙한 편인 인간이었다.

형석은 '그래….'라고 짧게 대답하며 다시 집중을 하는 듯 하다가 문득 야가미의 손 께를 흘긋 훑었다. 그가 왼 손에 끼고 있는 반지가 눈에 들어왔다.

"…자네는 결혼 했던가?"

야가미가 입을 슬쩍 벌리며 잠시 머뭇거리다 대답했다.

"저도 점퍼 요원입니다만? 너무 소드 마스터랑 리시버만 챙기시는 거 아닙니까? 미혼입니다 사령관."

형석이 멋쩍게 고개를 끄덕였다.

"아니 자네는 평소에 워낙 눈에 안 띄는 베테랑이니까…."

형석이 말을 이었다.

"애인이 있었지. 메리랑 사귄다고."

야가미가 긍정했다. '예.'

형석은 입맛을 다시며 말했다.

"그래. 아쉽구만. 우리 딸 애가 미혼인데 말이야. 자네도 참 괜찮은 친구인데. 혹시 물어보는데 헤어질 낌새는 없지?"

야가미가 다시 입을 벌렸다.

'아니 이 양반이.' "부디 따님이 좋은 남성 분 만나시길 바라겠습니다."

목구멍에 담았던 말과 실제로 나온 말이 달랐다. 다만 형석은 야가미의 표정을 보며 그 속내를 짐작하고는 민망하다는 듯 소리 내어 웃었다.

***

전 점퍼 요원이 무장 상태를 유지한다, 는 지침은 민서에게도 해당되는 사항이었다. 현장에서 움직일 가능성이 조금이라도 있는 모든 이들이 최소한의 무장 상태를 유지한 채 생활을 해야 했다.

그 지침에서 다소 벗어나 있는 건 완벽하게 백업 역할만을 하는 비 점퍼 요원들 중 행정직의 인원들 뿐이었다. 걔들 중에서도 혹시 모를 사태에 대비해 개인적으로 무장을 챙기는 이들도 있었고.

민서에게 주어진 것들이 그리 많지는 않았다. 언제 어디서나, 지구상에서 점퍼 조직의 요원들과 통신이 가능한 위성 전화기. 사지와 몸통에 소총탄을 직격당해도 뚫리지 않는 특수 방탄 피복. 그 외 항상 착용할 필요는 없으나 소지해야 하는 풀페이스 투명 헬멧과 방탄 소재의 장갑.

자동권총 계의 스테디 셀러인 종류 중에서 글록17. 그리고 충분한 여벌 탄창 10개. 교전 상황에서 착용자끼리 근거리 교신이 가능한 무선 이어폰 형의 통신기. 그리고 주머니에서 곧바로 빼들어 호신이 가능한 소형의 접이식 나이프가 있었다.

그것들을 모두 챙긴다면 상당히 거추장스러웠으나, 위기의 상황에 아무런 장비도 없이 맨몸으로 노출되는 것보다는 훨씬 나았으므로 대부분을 챙기는 편이었다.

일단 24시간 방탄 피복을 옷 아래에 껴입거나 하는 것만으로도 느껴지는 안도감의 차이는 현격하다.

그리고 민서의 재밍 능력이, 거의 항시 발동이 가능할 정도로 단련이 된 이상 자칫 잘못하면 상대 점퍼와 원치 않는 조우가 가능하다는 점에 있어서도 더욱 정신을 바짝 차릴 필요가 있었다.

일단 재머로서 민서는 시급한 임무에 투입되지 않고 손이 남는 전투가 가능한 요원과 계속 동행하는 것이 메뉴얼 상의 정석이었다.

조직 운영과 전시에 특수한 능력으로 중요인 취급이 되지만 점프 능력이 없는 자, 에 대한 지침이었다.

일반적인 점퍼들이라면 대부분 위기 상황에서도 각자 도생이 마지막에는 지침이었다. 도약이라는 건 무엇보다도 확실한 회피기이기도 했으니 말이다.

어쨌든 각 점퍼들은 조를 이루어서 긴밀한 연락을 주고 받으며 활동을 계속했다. 위기 상황에 더 빠른 반응과 대처를 위해서도 필요한 움직임이었다.

민서는 그래서, 일단 자주 만나게 되는 송일우와 조를 이루게 되었다.

별다른 일이 없다면 기지 내에 있는 것도 나쁜 수는 아니었지만. 상황이 아직 터지지도 않았는데 굳이 무의미한 대책 속에서 스트레스를 받는 것도 못할 짓이었다.

일단 민서는 송일우와 함께 생활을 하듯, 거의 단짝처럼 생활 패턴을 맞추어서 보냈다. 같이 밥을 먹고, 쉬고. 삼시세끼를 같이 챙겨 먹는 것만으로도 많은 시간을 함께하는 중이었다.

"그⋯."

3일 점심. 민서는 청량리역 근처의 국밥집에서 밥을 시켜 먹으며 송일우와 마주 앉아 있었다. 민서도 그런 편이었으나, 송일우도 용건이 없으면 그다지 떠드는 편은 아니었기에 둘 사이의 대화는 아주 메마르고 드문드문 이어지는 것이었다.

그 답답함에 먼저 진 것은 민서였으므로, 그가 먼저 입을 열었다.

"에."

송일우는 깍두기를 젓가락으로 집어 먹으며 답했다. 김민서가 그를 슬쩍 보며 입을 연다.

"예전에는 뭐 운동을 했었습니까?"

그는 우물거리며 깍두기를 씹다가 대답했다. 민서의 궁금증은 타당한 것이었다. 운동 실력과는 별개로, 보는 눈은 그다지 다르지 않았다. 애초에 누가 보아도 이상할 정도의 운동 능력이기도 했고.

저린 피지컬이나 솜씨는 보통 타고나는 경우가 많았다. 20대가 지나서 갑자기 개화하기보다는, 그 이전에 이미 자신의 재능을 깨닫고 활용하는 경우가 많으리라.

남들과 다른 자신의 특이성은 누구보다도 그 스스로가 먼저 깨닫게 되는 경우가 많은 법이었다.

송일우같은 인간이라면 어릴 적에 몇 종류의 운동에서 이미 두각을 나타내고 또 유명했어도 이상하지 않을 법했다.

"복싱을 조금."
"호오."

민서 역시 뜨거운 국밥을 슬슬 불어서 입 안에 넣으며 맞장구를 쳤다. 대화를 더 이끌어내기 위한 간단한 기교였다.

"얼마나 했습니까? 전국 챔피언 그런 거였나요?"

송일우가 슬쩍 고개를 저었다. 그는 늘 잘 입고 다니곤 하는 두 터운 차림새의 옷이었다. 그러면서 활동성도 보장이 되는. 흔히 작업복이라 할만한 차림들이었다. 항공 점퍼나, 펑퍼짐한 카고 바지 따위. 그 안쪽에는 마찬가지로 조직에서 지급하는 방탄 재질의 상하의를 껴입은 채다.

움직이는 꼴도 사실은, 품 안에 권총을 끼고 있는 중이었고. 그리 어색한 티를 내는 편은 아니었지만 전문가가 바라본다면 어딘가 낌새를 느낄 수도 있었다. 송일우도 그 정도까지 조심을 하고 있지는 않기도 했고.

"말 그대로 잠깐입니다. 메이저하게 대회를 나가지는 않았어요. 동네에서 좀 깊이 배웠고, 그 다음에는 곧바로 실전에서 사용했죠."
"실전이라면⋯⋯."

송일우가 잠시 말을 멈추더니 입을 열었다.

"뭐 보통은 길거리 싸움 같은 겁니다. 그러던 게 20대를 넘어서면서 좀 본격적인 곳에서도 사용했고."

송일우의 말투나 표정은 그리 개운한 편은 아니었다. 지난 날을 떠올리는 것만으로 미세하게 괴로워 보이기도 했고 말이다.

아무리 타고난 전사에게도, 싸움의 기억은 늘 상처로 남게 마련이었다. 아픈 걸 이겨나가는 것이 또 그런 이들에게 필요한 삶이었지만.

어느 때는 피로감을 없애고 쉬는 데 집중하는 게 필요한 때도 있었다. 육신이나 정신이나.

"내가 힘이 세다는 건 예전부터 알던 거였습니다. 반사신경이 남달리 좋다는 것도. 다만 운동에는 그다지 꿈이 없었습니다. 나 스스로가 남들에 비해 너무 다르다는 인식이 강하기도 했고."

확실히 점퍼라는 이들은 자연적으로 발생하고 혼자 있을 때 자기만의 세계에 갇히기 쉬운 경향이 있었다. 누구와도 공유하기 힘든 비밀이라는 건 사람의 다른 면들까지도 왜곡시키는 속성이 있었다. 한 가지 조금 특이한 점 때문에, 자신의 전체가 모조리 다 남들과는 본질적으로 다르다고 생각하게 되고 마는 것이다.

점퍼의 발현이 사춘기 무렵이라는 점을 들자면, 더욱 그런 경향성이 강했다. 송일우 역시 그런 이들 중 하나였고 자신만의 세계에 갇혀 있다가 처음으로 외부로 관계성을 뻗어나가며 적극적으로 움직인 것이 윤민혁과 만나서였다.

"내가 세상에 그리 쓸만한 녀석이라는 생각은 잘 하지 못했습니다. 왜인지 모르게, 점퍼들이라면 으레 그럴 것 같지만… 나 스스로의 존재를 감춰야만 하는 비밀 요원 따위의 연기를 스스로 하고 있었던 것 같기도 하고요."

확실히 점프는 초월적인 능력이었다. 제약 또한 분명하고 그것을 다루는 인간은 한낱 육신의 한계에 얽매인 존재들에 불과했지만.

"그렇게 쌓이던 일종의 불만들이 윤민혁, 리더를 만나서 터져 나왔는지도 모릅니다. 어떤 식으로든 존재감을 드러내고 싶었는 지도요."

송일우는 그렇게 말하면서 국밥을 비웠다. 김민서도 본인이 물어봐놓고 열심히 국밥을 먹으면서 이야기를 들었다.

"…그렇군요."

한참을 국밥만 흡입하다가 멋쩍은 듯 맞장구를 치고 있었다. 송일우는 그다지 신경 쓰는 편은 아니었다.

"뭐… 그건 그렇고. 저보다 더 뛰어나고, 잘 싸우고, 그런 인간은 홍인수 씨를 만나고서 처음 본 겁니다. 그 전까지는 전혀 상대가 없었는데."

그가 점퍼 조직에 더 헌신을 하기로 한 이유였다. 유일하게 자신을 정면에서 찍어 누르고 제어가 가능한 존재. 그가 향상심을 가지고 목표로 삼을 만한 상대를 마주한 건 처음이었다. 윤민혁 역시 만만한 이는 아니었지만, 그는 체력적으로 쇠퇴하고 있는 과정에 있었다. 송일우는 일종의 라이벌을 원하고 있었는 지도 모른다. 혼자만의 라이벌일지라도 말이다.

김민서는 고개를 주억거리며 이야기를 들었다. 처음 들른 국밥집이었지만 제법 맛이 괜찮았다. 금세 두 명에서 두 그릇을 비워냈다.

"…뭐 옛날 이야기를 묻는 건 나름 참신하네요. 어디가서 이야기할 데도 없었는데."

송일우가 다소 풀어진 말투로 이야기했다. 그렇습니까, 하고 민서가 대답했다. 둘은 자연스레 서두르듯 자리에서 일어나 식당을 나섰다. 평범한 남자들의 식사였다.

*

겨울은 추운 달이었다.

점퍼 조직의 요원들에게도 말이다.

비단 그건 마이클에게도 마찬가지였다.

누군가를 겨누고 총구를 고정하고 있다는 건, 어지간히 쉬운 일이 아니었기 때문이다. 전쟁을 준비하는 쪽은 어느 쪽이나 긴장감 속에서 자신의 안락함을 불태워야만 했다.

12월의 첫 주는 별다른 일이 없이 지나갔다. 아직 점퍼 조직의 감옥섬을 탈주했던 점퍼들이 문제를 일으키고 있지는 않았다. 그들도 오랜 시간의 수감 동안 학습된 폐쇄성이 있었다. 당장 움직였다가 다시 조직에게 붙잡힐 지도 모른다는 공포감 역시 있었을 지 모른다.

세계 각지의 범죄 조직들은 한바탕 소탕을 한 뒤로 다소 누그러졌지만, 그들은 여느 때와 다를 바 없이 지긋지긋한 악행들을 벌이곤 했다.

일반적인 삶을 살아가는 현대 사회, 선진국의 시민들은 어딘지 모를 불안한 긴장감 속에서 한 해의 마무리를 보냈다.

고도화된 도시에 일어났던 테러란 그런 것이었다. 언제 다시 일어날 지 모르는 일에 대한 불안감. 그런 것들이 사람들의 의식 밑바닥에서부터 일상이란 걸 갉아먹게 마련이었다.

평안한 마음이야말로, 일상에서 누릴 수 있는 가장 큰 행복 중 하나였는데.

수정은 아직도 민서에게 자세한 이야기를 듣지는 못했다. 무언가 최근에 유달리 바빠보이고, 긴장감 있는 얼굴로 지내는 것 같기는 했다. 연락을 해도 답장이 늦을 때가 많았고.

지난 번의 서울에서의 사건과 관련이 있는 것 같기는 하다. 무슨 회사 같은 곳에 들어갔고… 알바 비스무레한 것을 하다가 정식으로 일하게 되었다고 했는데…. 도무지 감을 잡을 수 없는 일이었다.

설마 김민서가 갑자기 특수한 능력이라도 각성을 해서 세계 정세의 뒤편에서 암약하는 비밀 조직에라도 스카우트가 된 것은 절대 아니지 않겠는가.

세상에 그런 일이 있을 리는 없었다. 그러나 요새 더 특별히, 저 표정이 많지 않은 친구의 속내를 읽기 어려워진 건 사실이었다. 같이 레일 위에서 탈선을 한 동료라고 생각을 했는데. 어느덧 자리를 잡아가는 것처럼 보이기에 씁쓸… 하지는 않고 그나마 사람처럼

살겠구나 싶어 안도감이 들었지만.

그녀도 이 한국 사회에서 밥을 벌어먹고 살기 위해 애를 써야 하는 시점이었다. 수정은 집구석에서 뒹굴거리며 시간을 보내다가, 어머니가 해주시는 밥을 먹으면서 미래를 고민했다. 이제 졸업이 다가오고 있고, 취업 활동에도 진전이 없음에도 부모님은 딱히 닦달을 하지는 않으셨다.

어떤 면에서 보면 좋은 부모님 아래에서 태어난 것 같기도 했다. 그녀는 가정의 문제로 남들만큼 힘들어 본 적은 많지 않다. 조금 머리가 크고 학교에서건, 어디에서건 다양한 아이들과 마주치면서 그녀가 겪고 들은 가정사를 생각해보면 그녀의 가정과 부모님은 아주 유복하고 또 사랑이 넘치시는 분들이었다. 관계성에 있어서도, 평안한 편이었고.

그러나 어쨌거나 부담을 따로 주지 않으시고, 잔소리가 없다고 하더라도 그녀에게 불안감이 없는 건 아니었다. 그녀 스스로 무언가를 해야 한다는 생각이 이미 들고 있었으니까. 이럴 리가 없다, 라고 생각을 하면서도 많은 일들이 잘 풀리지 않았다. 나는 무엇을 해야 할까, 나는 무엇을 잘 하는가.

그런 생각들이 가끔 머리에 스치듯 생겨났다가 사라지고는 했다.

그의 친구는 자세한 내용은 알 수 없었지만, 나름의 잘하는 것을 찾은 모양이었다. 그런 모습이 부러워 보이기도 하고, 어느 정도는 자극이 되기도 한다. 어딘가에는 분명 있을 텐데. 적어도 한국에. 아니라면 이 지구상에. 내가 할 수 있는 일들이 말이다. 내가하는게, 사회 전체로 보았을 때 효율이 좋은 일들이.

수정은 그런 고민들을 하면서, 저녁밥을 먹고 다시 방에 돌아와 TV를 켜두고 뒹굴거리다가 하루를 마쳤다.

*

12월 4일.

겨울의 한기는 방 안에서 녹여진 체온의 따스함을 손쉽게 빼앗아가고는 한다. 몇 걸음 채 걷지도 않았건만, 패딩 점퍼 너머로 다가오는 겨울날의 바람이 금세 몸에 힘이 들어가게 만들었다.

수정은 아침에 집을 나섰다. 4일은 일요일이었고, 개신교도인 그녀는 늘 가고는 하는 교회에 간다. 보통 주일 예배라고 말하는 걸 드리러 가는 길이다. 그녀의 부모님 또한 같은 종교였고, 그녀가 속한 청년층의 예배가 다소 이른 시간에 시작되어 먼저 나서고 있었다.

주택가를 나서고 버스를 타고, 약 삼십 분 거리에 교회 건물이 있었다. 대단한 대형 건물은 아니었지만 그래도 수백 명 단위의 사람들이 시간을 나누어서 예배를 드리곤 하는 곳이었다.

늘 하는, 익숙한 걸음과 순서로 예배를 마칠 때까지 몇 시간이 걸렸다. 보통 일요일, 개신교도들이 말하는 주일은 교회에서 대부분의 시간을 보내는 편이었다. 그녀는 나름대로 독실한 크리스천이었다.

익숙한 사람들, 혹은 새로운 사람들과 인사를 나누고, CCM을 찬양 예배 시간에 부르고, 설교를 듣고, 예배 식순에 따라 봉헌을 드리고, 성찬을 먹고 마시고, 축도를 듣고 끝난다. 친한 친구들과 이야기를 나누고, 어른들과 인사를 한다. 부모님도 오며가며 만나고, 점심도 보통은 교회에서 다 같이 하는 편이었다.

따로 정해진 조별로 이런저런 일상적인 이야기나, 신앙적인 고민과 주제에 대해서 서로 경험을 나누고 해답을 찾아본다.

지상 4층에, 지하 1층으로 이루어진 교회 건물은 제법 안락하고 따뜻했다. 내부에서는 겉옷을 벗고 있어야 했지만, 종종 바깥으로 나설 때는 여전한 추위에 몸을 떤다.

그렇게 하루 종일 시간을 보내고, 저녁 무렵이 되어서 오후 예배까지 드리고서 그녀는 집으로 발길을 향했다.

문득 이 녀석은 무얼 했나 싶어, 집에 돌아가는 길에 핸드폰에 있는 김민서의 연락처를 찾아보았다. 인터넷 메신저를 쓸까 하다가, 편리한 걸 좋아하는 터라 전화를 걸었다.

그녀가 집으로 돌아가는 시간은 한 7시 반 즈음 되었다. 따로 챙겨먹기도 애매하고, 아마 집에서 저녁밥을 먹을 예정이다.

뚜루루루. 별다른 특색도 없는 착신음이 지난다.

어두워진 거리. 시내는 이런저런 많은 사람들이 도로를 지나고 있었다. 12월에서 몇 주가 더 지나면 크리스마스다. 이른 곳은 벌써부터 그 분위기를 내기 위해 장식 따위에 힘을 주고 있었고, 야외에도 이런저런 조명들이 슬슬 빛나기 시작하는 시즌이었다.

겨울은 언제나 남다른 감상과 추억을 선물한다. 만물이 그 행동을 늦추는 동결기이기 때문인지도 모른다. 몸이 굳고, 한기에 아린 감각만이 손발 끝이나 말단을 채우면 생각이나 정신은 도리어 더 도드라진다.

집에 앉아서 가만히 책을 읽기에 좋은 계절. 따뜻한 이불이나 난로 앞에서, 사람이나 소리들마저 숨을 죽인 밤에 차분하게 글을 읽기에 적당한 계절이었다.

인생에 대해서 다양한 생각이나 감상을 느껴보고 다시금 되새겨 볼 수 있는 때이기도 했고. 어쩌면 이 즈음에 졸업을 하고, 또 떠밀리듯이 인생의 진로를 결정하는 것보다 이렇게 잠시 멈추는 시간을 가지는 게 더 좋을지도 몰랐다. 그녀 스스로에게도.

이런 시간을 가지면서 주변 사람들에 대해서 다시 생각해보게 되고, 똑같아 보이던 인간관계마저 변화를 가져올 수 있었으니 말이다.

예전부터 늘 잘 알던 편한 친구였던 김민서와의 관계도 최근에는 더 의지하는 면이 있는 듯했다. 언제나 비슷한 표정이나 태도를 보이던 친구였지만, 힘든 시기에는 왜인지 더 힘이 되는 부분이 있었다. 안정감, 이라고 표현해야 좋을지 몰랐다.

그렇게 잠시 이런저런 상념처럼, 뜬 발걸음으로 버스를 타고 또 거리를 지나는 동안 김민서에게 통화음이 계속해서 연결되었다.

바쁜 건지. 쉽사리 받지 않는다.

띠리리리리리.

전화기가 울린다. 점퍼 조직과 관련된 연락은 위성 통화가 가능한 전화기로 받는 것이었고, 일반적인 연락은 평소에 쓰던 스마트폰으로 받는다.

다른 연락이래봐야, 최근에 만나는 이들이 어차피 한정이 되어 있어서 그리 가짓수가 많지 않다. 가족이 아니면 수정일 것이다.

김민서는, 4일 저녁 그 시간에 잠시 야외에 있었다.

송일우와 잘 떨어지지 않는 와중이었으나 저녁 식사를 마찬가지로 같이 하고, 각자 개인 시간을 갖는 중이었다.

송일우는 김민서가 있는 원룸 근처에 방을 잡아 주기적으로 연락을 하고 서로 위치를 파악하고 있었다. 김민서는 집에서 잠시 쉬다가, 답답함을 느끼고 밖으로 잠깐 나온 차였다.

원룸에서 그리 멀리 떨어지지 않은 상가 건물에 슬리퍼를 끌고 나가서, 편의점에 들렀다. 음료 몇 개를 집어 들고 간식을 담았다. 그리고 집에 돌아오려다 순간 요의가 느껴져서 건물의 화장실을 찾았다.

흰색의 비닐 봉지를 휘휘 휘두르며 낡은 화장실의 소변기를 이용한다. 종종 집까지 다다르지 못하고 강렬한 복통을 느끼면 이용하고는 하는 곳이었다. 그는 익숙한 배치와 모습의 시설을 이용하며 아무런 망설임 없이 자연스레 움직였다.

자주 다니는 동네의 모습은 행동과 행동 사이에 잠깐의 텀이나, 고민도 없게 되는 면이 있었다. 물 흐르듯이 동작을 이어나가며 볼일을 보고 세면대로 간다. 턱, 하고 수도를 트니 물이 쏟아져나온다. 비닐봉지를 팔 께 높이에 걸쳐놓고 손을 씻는다. 스스슥, 하고 손을 비비며 민서는 흐린 거울로 자신의 얼굴을 잠시 들여다보았다.

후욱.

하고.

그리고 보통은 들려서는 안되는 소리와 감각을 그는 느꼈다. 민서는, 예전에 송일우가 말한 바 살아있는 점프 재밍 장치가 순조롭게 되어가는 과정이었다. 훈련도 겸해서, 그는 일상생활에서 역장을 발동한 채 살아가고 있었다.

그리고, 어떤 일이 있다면 아마 송일우가 그에게 통신기로 연락을 할 테였다. 주기적으로 서로의 위치를 파악하고 조별 행동을 하고 있는 기간이었으니. 이런 식으로 갑자기 이동을 하는 것은, 그들이 지키고 있는 행동 절차에 어긋나는 것이었다.

민서는 짧은 순간에 그런 불합리함을 느끼고 직감적으로 소름이 돋는 것을 느꼈다. 점퍼라는 것 자체는 익숙한 존재였지만, 그 점퍼가 어떤 인간이냐에 따라 그의 처지가 바뀐다.

보통 이런 현상의 가능성을 순식간에 머리에서 점쳐보자면, 그가 발휘하는 JE2의 역장이 근처를 지독하게 낮은 확률로 거쳐 가려던 점퍼에게 영향을 미쳐서 이런 식으로 오류가 난 것이었다. 그리고 이 근처는 민서가 있는 곳으로, 그걸 알고 있는 조직의 인원들이 무의미하게 점프를 해올 리는 없었다.

어지간한 비상 상황이 아니라면 유지중인 통신 라인으로 전화를 하면 되지.

"……."

김민서는 빠르게 머리가 식는 것을 느꼈다. 심장마저 차갑다. 내리 앉은 기분만큼 이성은 활발했다. 그는 저도 모르게 팔을 움직여 근처에 있는 것을 집었다. 낡고 하얀 전형적인 형태의 세면대 위에는 마땅한 것이 적었다. 한 걸음 옆, 아래에 놓여 있는 청소 기재가 있었다.

민서는 낡은 쇠 집게를 들었다. 그리고 곧이어 양손으로 강하게 움켜쥐어 벌어지는 부분이 없이 하나의 작대기처럼 만들어, 그대로 뒤를 향했다. 누가 있을지는 알 수 없었다. 그러나 미리 준비를 하고 행동을 해서 나쁠 건 없다. 민서는 순간 반응 속도를 최고조로 집중하며 날카롭게 사용하기 위해 애를 썼다.

나타나는 이가 누구냐에 따라 그의 태도가 달라야 할 테니까.

그리고 민서는 자신과 비슷한 체격의 동양인 남성의 모습을 바라보았다. 원래 그 자리에 있던 것처럼, 순식간에 나타나는 점프 특유의 현상이었다.

그리고 민서는 누군지 알 수 없는 점퍼를 바라보며, 자신의 태도를 결정했다.

1. 우선 조직의 점퍼는 아니다.
2. 그 외의 적의도 호의도 없는 우연한 점퍼 중 한 명인가?
3. 혹은, 근시일 조직의 전시 태세를 만들어낸 공격자들 중 한 명인가.

민서는 일단 쇠집개를 뒤를 돌면서 위로 들었다. 그대로 머리를 후려치려는 동작이었다. 2번이라면, 무릎이라도 꿇고 사죄를 하면 될 일이다. 3번의 상대를 앞에 두고, 저항도 하지 못한 채 당하는 것보다야. 리스크가 적은 일이었다.

민서가 반응한 건 의외로 순식간의 일이었다. 전조를 느끼고, 쇠집개를 상대의 머리를 향해 휘두를 때까지 그리 오랜 시간이 걸리지 않았다. 다만 최소한의 텀은 있었고, 상대는 시야를 회복하며 청각, 촉각 따위로 느껴지는 이질감에 이상함을 느낀다.

그리고 갑자기 나타난 동양인 사내가 시각을 되찾았을 무렵 그의 안면으로는 쇠집개가 날아들고 있었다.

동양인 사내. 민서와 비슷한 체격에, 단정한 검은 머리. 흰 피부를 가지고 검은 코트를 입은 채인 남자, 는 유진 쿠퍼였다.

유진은 머리로 생각하기 이전에 몸이 먼저 반응했다.

시각으로 정보를 받아들이기 이전부터 그 외의 오감으로 이상 징후를 느끼던 차였기에 더 신속했는 지도 모른다.

그는 어깨를 내밀고 머리를 숙이며 날아드는 쇠집개를 피했다. 죽을만한 위협은 아니었지만, 맞아서 좋을 건 없었다. 자세를 낮추며 팔꿈치를 들이대어 막아본다. 민서는 그대로 쇠집개를 쭉 아래로 휘둘러 기어코 맞추었다. 캉!

하는 소리가 났다. 쇠집개가 몸을 웅크리는 유진의 팔의 하박을 스쳤다. 금속성이 난 건 의외의 일이었다. 유진은 두터운 코트 안쪽, 혹은 사지 쪽에 부목처럼 철 막대기 따위를 대어두고 있었다. 언제 무슨 일이 일어날지 알 수 없었기에 그렇다. 이런 일이 일어났을 때 그의 생명을 실제로 살려주기도 하고.

유진은 준비하는 편이었고, 민서는 그런 편은 아니었다.

다만 민서가 속해 있는 조직은 준비성이 철저한 편이라, 민서에게도 무장을 유지시켰다.

김민서는 쇠막대기를 그대로 휘두르며 던져버렸다. 유진이 몸을 숙이자 약간의 틈이 났다. 그는 반의 반발자국 정도 뒤로 물러나며 허리춤에서 무언가 꺼내 들었다. 늘 몸에 지니고 있는 물건이다.

그러니까 사실은, 이런 곳에서 절대로 사용하면 안 되는 종류.

자동권총이었다.

지난 수 개월간 뼈에 박아넣듯 훈련받은 동작이 그래도 제법 자연스레 나왔다. 김민서는 그대로 장전과 안전장치를 풀면서 유진을 겨누었다. 그리고 쏘기까지, 마음에는 조금의 망설임도 없었다.

띠리리리리리.

그때, 민서의 외투 주머니에 있던 스마트폰이 신호음을 울렸다. 안타깝게도, 받거나 적어도 조금의 신경을 할애할 수 있는 상황이 아니었다. 민서는 자신의 생존과, 상대방의 제압을 위해 움직여야 하는 움직임을 계속할 뿐이다.

그에 맞서 자세가 무너져 있는 유진은 근접 전투에 베테랑은 아니었다. 솔직히 견주어도 민서와 비슷한 수준인 그다. 유진 쿠퍼는 그다지 운동과 체력에는 재능이 없었다.

다만 머리 회전과 상황 파악, 그리고 점프에 있어서는 누구도 따라가기 어려울 정도로 기민한 편이다.

유진의 눈이 흔들렸다.

본능적으로 곧바로, 민서가 꺼내든 게 장난감 총이나 공포탄도 아니며, 눈앞의 인간이 그대로 쏘리라는 것까지 짐작을 했다. 그 시점에서 그는 이미 도약을 준비하고 있었다.

되도록이면, 먼 곳으로.

민서가 짧은 예비 동작을 마치며 글록의 사격 준비를 마치고, 검지 손가락에 슬쩍 힘이 들어갈 무렵.

후욱, 하는 익숙한 감각이 느껴지며 유진의 모습이 사라졌다.

민서는 간신히 총구를 겨눈 채 격발시키지 않았다.

그리고 그대로 삼 초 정도, 현실을 인식하기 위해 가만히 있었다. 상황이 벌어지고 사실을 이해하기까지는 텀이 필요했다. 예상치도 못했던 이런 상황에는 말이다.

후우우우.

민서는 한껏 긴장되어 치켜 올라간 어깨를 간신히 늘어뜨리며 한숨을 내쉬었다.

글록을 쥔 팔을 내리며 슬쩍, 떨리는 손으로 통신기를 집어 들었다. 점퍼 요원끼리 사용하는 국제 전화기였다. 폴더를 열고 1번을 누르면 단체 행동으로 묶여 있는 조원이 연결이 된다. 지금은 송일우의 통화기로였다.

뚜루루루루. 달칵. 미리 대기를 하고 있던 것처럼 금방 통신기를 받는다.

"어…… . 제가 목격한 것 같은데요."

*

유진은 당혹스러워 하고 있었다.

자연계에 있을 수 없는 일은 없다, 라는 개척정신 가득한 과학자의 마음 가짐처럼 인생에는 예상치 못한 순간들이 이따금씩 찾아오고는 하는 법이었다.

그리고 그걸 수용하는 태도에 있어서, 그 사건의 결론이 긍정적이었느냐 부정성 가득한 것일 뿐이었느냐가 정해지고 말이다.

일단 적어도 유진은 마냥 긍정적으로 받을만한 배짱이 없었다.

점프라는 능력은 어릴 적부터 그에게 주어진 무기같은 것이었다. 어떻게 다루어야 할 지, 그에게는 이른 시간부터 그 방법을 다 알려주는 가이드가 있었다.

마이클 샌더스의 존재였다.

점프에 대해서 안다, 라고 생각하고 훈련을 거쳐 익숙하다는 듯 유용을 하다가 벌어진 사태에 대해서 유진은 머릿속을 정리할 시간이 필요했다.

그는 무작위로 먼 곳으로 이동해, 샌프란시스코의 어느 빌딩 옥상에 자리했다.

사위는 캄캄한 어둠이 뒤덮고 있었다. 그는 넘어지려는 자세 그대로 도약을 했고, 자세나 방향을 정확히 신경 쓸 겨를이 없었기에 불안정한 자세에서 그대로 콘크리트 바닥에 쓰러져 있었다.

새벽녘. 동이 트기까지 꽤나 남은 한밤중이었다.

유진은 일단 총알을 맞지 않았다는 사실에는 감사해야 했다. 그리고 자신이 한 행동들을 차분히 되살폈다.

그는 마이클의 계획에 따라 움직인다. 그리고 점퍼 조직에 선전포고를 하듯 소속된 시설물에 폭격을 가한 뒤, 그가 하는 일은 저번에 벌였던 테러의 연장선이었다.

마이클은 점퍼 조직이라는 국제적인 단체가 의외로, 한국에 많은 연을 두고 있다는 걸 알고 있었다. 단순한 우연의 일치일 지는 알 수 없었지만, 자연적으로 발생했던 점퍼들- 그리고 개들 중에서 조직으로 편입된 이들 중에서 한국인들이 많이 있었다.

자연스레 조직은 한국 정부나, 한국과 연이 깊은 단체가 되었고 조직의 정서 역시 한국적인 것과 닿아 있었다.

다양한 선진국들과 국제 기구들이 있었지만 개중에서도 서울이라는 고도화된 도시의 평화와 치안이 깨지는 일에 대해서 크게 반응을 할 것이었다.

그가 서울을 노리는 이유는 그런 논리였다.

12월 중에 시민들에게, 그리고 나아가 국제 사회에 잊지 못할 추억을 만들어주고, 점퍼 조직에도 패닉을 주어서 혼란을 일으킨 다음에 직접 조직을 타격하려는 수순이다.

그 전에 일단 서울의 동태를 살피기 위해 잠시, 미국의 은신처에서 점프를 한 참이었다.

그리고 아주- 재수 없게도 서울의 많은 지역 중 민서가 역장을 펼친 그 근처를 도약지로 삼은 것이었고.

유진은 기억을 더듬는다.

상대는 점퍼 조직의 인물이었다.

순식간에 지나간 인상이었지만 뚜렷하게 기억하고 있었다. 그만큼 집중을 해야 했고, 급박했던 상황들이었으니 말이다. 점퍼 조직의 추적자 중 한 명.

유진의 입장에서는 여태껏 한 번도 오작동을 일으킨 적이 없는 점프가 예상치 못한 결과를 만들어낸 최초의 경우였다. 물론, 수많은 시도 중 몇 번인가는 정확한 지점에서 약간의 오차를 만들어내기는 했지만, 이 정도로 능력이 그를 배신한 건 처음이었다.

일단, 그가 순식간에 받아들인 정보로 그곳은 한국의 어느 건물처럼 보였다. 아마, 서울일지 모른다. 그리고 그가 마주친 상대도 한국인이었고. 어느 정도의 오차인지는 모르겠으나, 그가 의도 했던 도약지와 연관성이 있다는 점에서 그의 점프 시도 자체가 무효화 된 건 아닐 테였다.

그의 능력은 그대로인데, 어떤 요인으로 인해서 일시적인 오작동을 일으켰다. 그리고 그가 만난게 된 것이 점퍼 조직의 인물이다.

유진은 자연스럽게 하나의 가능성을 떠올렸다. JE, 점프에 직접적으로 영향을 주는 특이 능력자의 존재. 자신이 스스로를 제외한

타인에게 점프를 시도할 수 있는 것처럼, 특질을 가진 희귀한 점퍼가 있다면 말이 되는 상황이다.

그리고 아마 직관적으로 그 영향력을 생각해본다면, 누군가의 도약 지점에 발휘되는 힘일 것 같았다.

개연성에 따라 상상력을 추가해보자면 점퍼의 도약 위치를, 아마도… 특이 능력자 본인의 몸을 기준으로 바꾸는 것 같았고.

그리고 그 따위 능력에 제한이 없을 리 없을테니까, 아마 자신의 몸을 기준으로 반경 수 키로미터 정도의 범위를 두고 이루어지는 일일 것이었다. 유진은 자신의 가설을 확인해보기 위해, 일단 한국의 부산으로 점프를 했다.

후욱, 하고.

그가 어둔 새벽 인적 없는 빌딩의 옥상에서 사라졌다.

그리고 저녁 무렵의 부산 시외에서 나타났다. 사람이 없는 오래된 건물이었다. 재개발이 아직 이루어지지 않아 허물지 않은 폐허가 오래도록 남아 흉물스러움을 나타내고 있는 자리. 바깥에서는 잘 보이지 않는 건물 내부, 먼지투성이 자리에 유진이 모습을 드러낸다.

일단 유진은, 자신의 가설이 맞을 가능성이 조금 올라감을 생각했다.

자신의 점프는 여전히 아무런 문제가 없었다. 외부요인이 이상도착을 만들어냈을 확률이 컸다. 그리고 그 지점에서 만나게 된 점퍼 조직의 인간이 있었다면, 그가 그 외부요인의 본체이리라 생각하는게 자연스러웠고.

유진은 한 번 더 자신의 가설의 가능성을 높이기 위해 도약을 했다.

서울에서 가까운 경기도 지방이었다. 만일 자신이 생각하는 대로의 특이 능력이라면, 그리고 그 범위가 '대도시'라 불릴만한 것을 한참이나 넘는 것이라면 그들의 계획에 차질이 생길 정도의 문제였다.

해당 지역에서 점프 능력을 아예 발휘하지 못한다면 그건 점퍼 간의 능력전에서 치명적인 수준의 제약이었으니 말이다.

유진 쿠퍼가 부산의 폐건물 속에서, 한번 더 이동을 한다. 후욱, 하고 먼지가 이는 조금의 변화도 없이 그가 순식간에 사라졌다가 비슷한 모습의 실내에서 나타난다. 먼지 따위에 묻고 다소 스타일이 구겨진 검은 코트 차림이었다. 그는 자신이 실행한 점프가 정상적으로 작동되었음을 알았다. 그리고 더 이상 아까의 도약지로 다가가지는 않았다. 서울 내부라면 정확한 범위를 파악해 피하기가 어려웠다. 그가 최초에 의도했던 점프는 서울 북부로 도약하려던 것이었는데…. 굳이 그 이상 다가가지는 않기로 한다.

유진은 일단, 갑작스러운 이상 사태에 대한 정보와 가설을 머리에 넣고 다시 기지랄만한 곳으로 돌아가기로 했다. 그들이 자주 머무는 것은 결국 가장 익숙한 곳이었고, 미국 본토였다.

***

"재머Jammer라."

마이클은 조직에 대해서 제법 잘 알고 있는 편이었다. 비단 연구소에서 뿐만이 아니라, 점퍼 조직의 기지에서도 일했던 경험이 있는 이였다.

조직의 점퍼 요원들이 받게 되는 코드 네임들에 대해서도 알고 있었고. 그런 투에 따라서 적당히 붙여본 이름이었다.

만일 유진이 겪은 바에 따라 생각한 정보들이 맞다면, 그런 특질의 점퍼에게 붙을 이름이나 별명은 '재밍'일 것이었다.

눈에 보이지 않지만 작용하며 거리에 관계없이 능력을 발휘하는 점퍼들의 천적. JE능력에 대한 간섭을 생각한다면 그런 이름이 적당해 보였다.

"재머, 좋지. 우리에게는 텔레포터가 있었는데. 저쪽도 허를 찌르는 유닛이 있었군."

마이클은 글라스에 진한 블랙 커피를 따라두고 빨대로 마시고 있었다. 그에게 이야기를 건 것은 유진이었고, 지금 그들은 마이클의 주요 자산들이 모여 있는 미국의 어느 저택에 있었다.

고풍스럽다, 라고 할만한 엔티크 가구들로 채워져 있는 넓은 서재였다. 좁은 창문은 그마저도 커튼이 반쯤 가리고 있어서 바깥의 햇빛을 내부에 다 채워넣지 못하고 있다.

하나만 불을 켜둔 조명이 실내를 어스름하게 밝히고 있었다. 그는 서재의 긴 테이블 자리에 앉아 있었고, 유진은 그의 탁상 너머에 서서 이야기를 하던 차다.

"재머라고 부르면 되는 겁니까. 상대의 능력 범위를 정확하게 가늠할 수 없습니다. 그게 만약 서울 전역을 커버한다면 당장 계획에 차질이 생기는데요."
"···설마, 그러기야 할까."

마이클은 낙천적으로 이야기했다. 그 정도로 강대한 특이 능력이라면 대부분의 점퍼들을 움직이지 못하게 봉쇄할 수 있다는 이야기였다. 점퍼가 비상식적인 능력을 갖고 있다고 해도, 결국 사람들이 모여 있는 대도시의 인프라에 귀속되는 부분이 있다.

순간이동 능력 말고는 별다를 게 없는 개인이 도시를 벗어나서 할 수 있는 것들은 결국 한정적이었으니. 그들은 딱히 초인은 아니었다. 상리를 벗어나는 특수 능력을 하나 덤으로 갖고 있을 뿐이었지.

"그만한 능력이 있었다면 애초부터 도시에서 벌어지는 사건들을 대부분 막았을 거다. 갑자기 그 정도로 능력을 개발하거나 발현했다고 하기에는… 지나치게 비관적인 예측이로군. 아마 도시에서 우연히 엮였다고 했으니… 기껏해야 반경 수 km 정도겠지…. 허를 찌른다면 충분히 대응할 수 있는 범위다, 그러면."

"그렇겠습니까."

유진이 먼 곳을 바라보며 고개를 끄덕였다. 어쨌거나 그는 마이클을 따르는 처지였고, 계획의 줄기를 결정하는 의견이나 선택들에 대해서는 보스의 것에 동의하는 게 쉬운 태도였다.

"갑작스러운 변수가 생겼지만 미리 알았다는 게 차라리 다행이다. 운이 좋았어. 수고했다. 얼굴을 노출시킨 건 안타깝지만 어쩔 수 없지. 얻는 게 있으면 잃는 것도 있는 법이니까."

마이클은 권태로운 손가락을 뻗어 글라스에 담긴 커피를 마셨다. 책을 보거나, 기계를 다루거나, 복잡한 일들을 하면서 먹기에 편한 방식이었다. 집무실에 있는 아무 컵에나 진한 커피를 가득 따라두고 스트로를 이용해 마시는 건 말이다.

"움직이는 건 예정대로 한다. 겨울이 가기 전에 서울 시민들에게 진한 트라우마를 심어 줄 거야. 그리고 나아가 국제 사회와, 점퍼 조직에게도. 그리고 혼란을 틈타서 조직의 본부를 타격하고… 하나씩, 하나씩. 각개 격파한다."

그가 글라스를 탁, 하고 테이블에 두며 말했다.

"점퍼 요원만 잡으면 결국 이기는 싸움이지. 우리는 상대방의 숫자와 대략적인 정보를 알고, 상대는 우리의 정체를 정확히 모른다. 기습하는 입장이라면 얼마든지 가능성이 있어."

글라스에 있던 커피는 어느새 다 비워져서 유리잔만 남았다. 마이클은 주름진 눈가를 손가락으로 쓰다듬으며 말했다.

"미스터 윤도 있고… 결국 체스같은 거다. 만약 네가 별다른 특이성이 없는 점퍼였다면 아마 조직을 정면에서 와해시키는 건 생각하지 않았을지 모르지만…. 변수를 만들어낼 수 있다면 혹시 모르지."

유진은 묵묵히 듣고 있었다. 미국도 지방에 따라서 차이야 있겠다만 겨울은 다를 바 없이 춥다. 그리고 마이클은 내부 난방을 약간 춥도록 부족하게 하는 편이었다. 돈도 많은 양반이 왜 그런지는 알 수 없었지만. 덕분에 청년은 아직도 외투를 걸친 채였다.

"그럼 사전 탐사는 계획대로 진행하고… 점프 없이 몇 사람 붙여주시면 준비 마치겠습니다."

"그래, 그러도록 해. 한번 더 걸리는 건 골치 아프지. 그건 얼굴을 들키는 것과도 다른 문제이니."

마이클의 말에 유진은 고개만 끄덕거렸다. 곧이어 별다른 말을 덧붙일 것 없이 도약으로 그의 집무실에서 사라진다. 불필요한 말을 많이 하는 편은 아니었다. 두 보스와 부하 사이는 말이다.

*

한형석의 곁에는 여전히 야가미가 붙어 있었다.

조직의 수뇌부는 언제나, 24시간 가동중이라 생각하면 옳았다. 결국 조직을 이끄는 리더의 위치란 누구보다도 쉴 수 없는 자리였다. 다른 이들이 휴식을 생각할 때도 결국 비상 상황에 능동적으로 대처하기 위해서 염두에 일을 두고 놓을 수 없다.

한형석은 4일, 늦은 저녁에서 밤으로 넘어가는 시간에 조직의 기지로 돌아왔다. 잠시 자택에 다녀올 생각이었는데, 뜻밖의 정보가 들어와 다시 의견을 나누기 위해서였다.

커맨더, 코치, 야가미, 그리고 그 외 비 점퍼 인물들 중 몇이었다. 지휘관 실에 모인 인물들은. 현장 요원들 중 베테랑이라 할 수 있는 브레이커와 소드 마스터도 자리했다.

메리와 홍인수였다.

"민서 군이 상대를 목격한 것 같다고."

김민서는 잠시 기지 내 개인실에서 쉬고 있었다. 송일우가 이야기를 전달하러 지휘관 실에 들렀다.

송일우가 입을 열었다.

"예. 보통 체격에 검은 머리. 동양인이거나, 한국인일 확률도 높다고 합니다. 나이는 20대 초중반 정도. 국적은 다를 수 있겠지만. 근접 전투력이 저희만큼 높다고는 하지 않더군요. 자신의 움직임에 완벽하게 반격을 하지 못하고 도주한 걸 보면 말입니다."
"흐음."

커맨더는 턱끝을 메만졌다. 그가 굵은 목소리로 이야기했다.

"동양인 젊은이라. 최근에 조직과 연이 있었던 사내는 아니로군.

그럼 결국 자연적으로 발생한 외부 점퍼들 중 한 명이라는 건데…. 조직과 커넥션이 없는 상태에서 이렇게 대담하게 일을 벌일 수가 있는가?"

코치가 말을 받았다.

"조직적인 연계일 수 있겠습니다. 저희와 같이 일을 했던 누군가가 만약 일을 꾸미고 있고, 천문학적인 확률로 외부의 점퍼를 발견해 동료로 삼았다면."
"그렇긴 하지…. 그런데 다만,"

한형석이 테이블을 톡톡 두드리면서 이야기했다. 좌중은 그의 이야기를 듣고 있었다.

"적어도 내가 기억하는 한 세대 내의 점퍼들 중에 용의자는 없네. 그렇다면, 생각을 달리 해보게 되지. 점퍼가 아닌 사람을 넣는다면 내 기억에도 허점은 많네. 심지어 기록으로도 놓치는 부분이 있을지 모르고. 그런 이들 중 누군가가 다른 생각을 품었다면 그럴싸하지."

한형석은 투실한 볼을 손으로 쓰다듬었다.

"아마도… 내 부족한 견해로 추론해보자면. 상대도 무언가 특질을 가진 '점퍼'일 지 모르겠군. 점퍼가 아닌 이에게, 손을 대지도 않고 도약 능력을 이전시킬 수 있는 종류 말이야. 그렇게 되면 용의선상은 무진히 넓어지게 되니."

코치가 한 마디를 덧붙였다.

"상당히 센 편인데요. JE를 그렇게까지 광범위하게 사용할 수 있다니. 점퍼의 제약을 많이 무너뜨리는 일이군요."

기본적으로 점퍼가 할 수 있는 일들은 뚜렷이 눈에 보이는 한계들을 가지는 경우가 많았다. 순간이동을 할 수 있다지만, 자신의 몸에 국한되고, 다른 이에게 능력을 발휘하려면 반드시 손을 대어야 한다거나… 말이다.

"아마 무기질을 멋대로 옮길 수는 없을 걸세. 그렇게 전능한 능력이라면 이미 그들이 전 세계의 주요지들을 다 폭발시키고 세상을 쑥대밭으로 만들었겠지. 아마 다른 제약은 그대로이겠지. 무게나, 한 번에 옮길 수 있는 사람의 수나, 도약의 전후에 걸리는 약간의 텀이나."

홍인수가 이야기를 듣고 있다가 입을 열었다. 그는 좌우로 나뉘어져 앉는 긴 테이블 자리에 앉아 등을 뒤로 기댄 채였다.

"뭐… 텔레포터인겁니까? 전송기가 상대인가 보군요, 이번에는."

어슴푸레하게 빛나는 지휘관실의 푸른빛 조명이 좌중의 표정을 밝히고 있었다. 한형석이 고개를 느리게 끄덕였다.

"그렇지. 뭐, 어떻게든 될 것 같기는 하네."

그가 다른 수뇌부 요원들을 보며 씨익 웃었다.

"아무리 생각해도 재머가 최강이거든."

*

전략의 기본은 상대의 허를 찌르는 것이었다.

마이클은 당장 움직이지는 않았다. 상대가 수성을 해야 하고 본인이 공격자의 입장이라면, 가장 예상치 못한 시기를 노려 빈틈을 찌르는 것이 쓸만한 전략일 것이다.

어느 정도 긴장감이 높아진 상황이라면, 떨어질 때까지 기다리는 게 자연스럽다. 며칠은 별다른 일 없이 넘겼다.

서울이 목표인 것은 달라지지 않았다. 그리고 성동격서의 작전도 따로 구상하지는 않았다. 그러잖아도 점퍼 조직에 비해 체급이 낮은 편인 마이클의 단체는 모든 자원과 인원을 모아서 한 군데에 투자해도 될까말까, 한 상황이었다. 솔직히 말하자면.

조금의 실패 가능성이라도 있고, 확실하지 않다면 한 군데에 모조리 때려 박아서 승부를 보는 것이 그나마 낫다. 그들은 천천히 공격을 하기 위한 준비를 이어나갔다.

*

12월 17일은 토요일이었다.

그리고 어느새 12월의 중순에 이르는 날짜이기도 했다. 날씨는 그만큼이나 더 추워져서, 이제는 가을옷으로는 버틸 수 없을 정도의 기온과 바람이었다.

서울에서 맞이하는 4번째 겨울이었다. 민서로서는 말이다.

그간 많은 일이 있었다.

대학교로 진학을 해서 서울로 올라오고, 자취를 하고. 그리고 적성에 맞지 않다는 것을 금방 깨닫고 다른 길을 모색했다.

정확히는 모색이라는 이름의 허비를 했다, 고 봐도 좋았다.

다만 방구석에 가만히 있었다고 그 시간을 온전히 버린 것은 아니었다. 어차피 살아있는 그 시간도 그의 인생의 일부들이었다. 때로는 원인도 모를 정도로 깊은 자책감 따위에 휩싸여서 스스로를 비관하게 되고는 하지만.

그 시간의 자신또한 소중한 대상이었다.

인생이라는 건, 남을 미워해서도 그렇고 스스로를 용납하지 않아서도 그렇고. 그런 식으로는 잘 살아가기가 어렵게 되어진 무언가였다.

늘 나아질 필요는 있었지만.

근원적인 부분에 대한 끝없는 비관은 결국 삶을 지탱할 수 없게 만드는 안 좋은 습관일 뿐이다.

어쨌든 아르바이트를 하고, 자신에 대해서 고민을 하고. 또 자신의 삶이나 해야할 일들에 대해서 고민을 하고. 그렇게 보내다가 무력해진 어느 시점에 괴인을 만났다. 정확히 따지자면 괴인까지는

246

아니었다. 괴능력자일 뿐이었지.

홍인수가 성격이 괴상한 편은 아니었으니.

그 다음의 일들은 롤러코스터를 타듯이 정신없이 지나간 사건들이었다. 그 자신의 의지보다도, 다른 이들의 힘이 강력하게 작용을 했다는 점에 있어서도 그러하다.

간신히 목숨을 부지했고 또 다치는 일도 없었지만.

한 해는 나름대로 즐거운 시간이었다. 어린 시절의 낭만을 꺼내들어 견주어 보아도 뒤지지 않을 모험을 한 것 같기도 했고.

"정신나간 폭탄마만 없다면 평화로울 것 같은데."

민서가 입을 열었다. 그는 시내 어느 거리의 벤치에 앉아 있었다. 사람들이 그리 많지는 않았다. 연인들이 오가면서 팔짱을 끼고 걷는 것도 보이고. 나름대로 슬슬 크리스마스를 준비하는 상가들의 분위기가 들떠 보였다.

그는 긴 패딩 코트를 입고 주머니에 손을 찔러넣고 약간은 눕듯이 벤치에 몸을 기대어 건물들의 옥상이나 하늘, 그리고 지나다니는 사람들의 상체 즈음을 바라보는 시선을 하고 있었다.

점퍼 조직의 비상 상황은 여전했다. 실제로 사건이 터지는 순간
은 짧다 보니, 결국은 이런 식으로 일상적인 시간들을 보내게 되지
만 말이다.

전체적으로 점퍼 조직의 요원들이 감당하는 임무의 강도도, 다소
는 줄어든 상황이었다. JE라는 자원이 워낙 희소하다 보니, 무턱대
고 그 양을 깎아낼 수는 없었지만 적어도 모든 인원들이 언젠가
일이 터졌을 때 기민하게 반응할 수 있도록은 하고 있었다.

24시간, 조별로 연락망을 유지하는 것 또한 그런 일환이었고. 민
서가 알기로 '야가미'는 쉴더로서 내내 조직의 커맨더의 곁에서 생
활을 하고 있었다.

보호를 받는 커맨더나, 쉴더나 고생스러운 일정이었다.

부양해야 할 가족이 없는 인원들은 그나마 나은 편이었다. 어차
피 자유롭게 움직이는 처지들이었으니. 그 일과에 다소 변화가 있
다고 하더라도 개인적인 문제였으니.

민서 역시 송일우와 같이 하는 일정을 지속하고 있었다. 지금도,
겨울 날 남자 둘이서 시내 구경을 하다가 그가 잠깐 무언가를 사
러 간 상황이었다. 참 칙칙한 광경이었지만. 나름대로 재미는 있었

다.

언제 일이 벌어질지 모른다는 생각 때문에, 괜한 불안감이 들어 수정과 만나는 일은 다소 자제를 하고 있는 중이었다. 만일 어딘가에서 일이 벌어진다면 재머로서 그는 그 현장에 있어야 하거나, 혹은 그러기 전에 이미 현장에 휘말릴 확률이 높았다.

민서가 발휘할 수 있는 역장은 계속해서 순조롭게 그 크기를 키워간다. 이러고 있는 와중에도 아주 미약하게는 계속해서 늘어가고 있었고.

어느덧 7, 8km를 커버하는 수준이었다. 만일 테러리스트의 공격이 서울에서 벌어진다면 뜬금없이 저번처럼, 상대 점퍼와 마주치는 일이 있을지도 몰랐다.

민서는 쓸만한 장갑을 사러 간다며 가게에 들어간 송일우를 기다리면서 거리의 사람들을 관찰했다. 그에게 관심을 가지는 이들은 없었다. 사람들은 제각각의 삶을 살아가며 그들의 일을 할 뿐이다.

서울은 그가 생각하기에도 평화로운 도시였다. 치안도 좋았고. 대한민국이라는 나라가. 휴전선 위에 있는 잠재적인 위협만 제외한다면, 아주 살기 좋은 땅이었다. 분단이라는 문제만 해결된다면 아마 지금까지보다 국가적 발전도 수월해질 확률이 높았다.

그 땅에 존재하는 리스크가 줄어든다는 건 결과적으로 투자가들이 투자를 할 요인이 늘어난다는 말이었으니.

반도가 통합된다고 해도 그 위의 중국이나, 러시아같은 거대한 공산주의 국가들의 태도는 또한 외교적인 문제이겠지만.

어차피 공산주의는 낡은 사상이었다. 시대적 흐름에 따라 그것이 쇠락하고 각국간의 수월한 협조와 이해, 경제적 공동 발전으로의 길을 트는 게 결국 세계 정세에서의 살 길이었다.

민서가 이런저런 생각들을 하고 있을 무렵, 송일우가 가게에서 나섰다. 적당히 마음에 드는 장갑을 고른듯한 그가 늘어지게 벤치에 몸을 누이고 있는 민서의 어깨를 툭 쳤다.

"갑시다."
"어, 예. 다 골랐습니까? 마음에 들어요?"

송일우의 취향이 겉보기에 그다지 세련되고 또 섬세한 편은 아니었다. 자기 나름대로는 어떨지 모르겠으나. 그는 결국 기능미를 가장 중요시한 차림들을 늘 하고 다닌다. 작업복이라 해도 좋을만큼, 질기고 튼튼하고- 몸을 외부에서 잘 보호하며 움직이기 편한 옷들만을 챙겨 입는다. 배색도 그다지 크게 생각하지 않는 듯하다.

그런 그가 고른 장갑은 그저 짙은 갈색의 두터운 장갑이었다. 그의 다른 취향대로 손을 잘 감싸고, 움직이기도 적절해 보이고… 과장을 조금 보태서 초심자가 휘두르는 나이프 정도는 한 두 번 막아낼 수 있을 것처럼도 보였다.

민서의 물음에 송일우가 고개를 끄덕인다.

"예. 착용감도 좋고. 펀치를 방해하지도 않겠네요."

한다는 소리가 역시 전투를 상정한 이야기다. 해야 하는 일들이 일이니만큼 어쩔 수 없는 것이겠지만.

"어차피 교전 상황이 되면 꺼야 하는 건 조직에서 나오는 보급품이 아닙니까?"

민서가 벤치에서 일어서며 답했다. 송일우는 걸어갈 방향을 쳐다보며 입을 열었다.

"뭐, 그렇기는 하지만. 언제나 갑작스러운 일이란 게 있지 않습니까. 저번에 당신도 그랬고요."

그 기억을 들추어내자 민서는 떨떠름한 표정으로 긍정했다. 아주 낮은 확률로, 그런 일도 일어날 수 있는 것이다. 확실히. 그런 때를 상정해서 송일우와 계속 같이 움직이는 것이기도 했고.

"상대가 어떻게 나오겠습니까?"

이런 식으로 거추장스러운 동행을 달고 계속 움직여야 하는만큼. 그들의 관심사는 그들이 경계하는 인물들에 대한 것으로 자주 옮겨가게 된다. 무슨 짓을 벌일지 모르는 그 미치광이들이 속히 처리가 되어야, 이런 불편한 상황에서도 벗어나는 것이다.

"그간의 행적으로 본다면…. 더하면 더했지 덜하지는 않겠습니다. 메트로폴리스 따위에 무차별적인 폭탄 테러를 일으켜도 놀랍지는 않을 것 같습니다. 덕분에 조직은 각국의 치안 단체와 계속해서 공조중인 것 같고…."

세계 각국의 주요 도시들에서 일이 벌어진다면, 곧바로 요원들이 투입되어 상황에 대처하기 위한 경계 태세가 쭉 이어지고 있었다. 미치광이 하나 때문에 많은 사람들이 고생을 하는 중이다. 어떤 조직에서 말단들은 때 아닌 연속적인 야근으로 체력이 갉아 먹히고 있을 지도 모른다.

점퍼 조직 쪽의 인원들도 그다지 다르지는 않을 테였다. 애초에 조직에서 일하는 이들도 세계 여러 나라의 수뇌부들과 협조를 주고 받으면서 각국에서 지원 받은 인물들이 대부분이었지만.

많은 사람들을 피곤하게 만드는 인간, 마이클의 움직임은 그 즈음 시작되고 있었다.

*

후욱, 하고.

윤민혁은 연속적으로 도약을 시행하고 있었다. 그들이 목표로 하는 도시는 서울이었다. 그리고 아마 서울에는 한국인인 재머, 가 있을지 몰랐다.

그들의 계획의 시행을 위해서 재머가 본인의 능력을 발휘하는 영역에 대한 구체적인 정보가 필요했다.

재머 본인이 아니고, 조직 내부에 내통자가 없는 이상 쉽사리 알아낼 수 있는 정보는 아니었다. 마이클이 조직을 나온 건 꽤나 오래 전의 일이었고, 조직 내부의 보안이 철저한 점퍼 조직에 간자를 심는 것은 굉장히 어려운 일이었다. 차라리 정면에서 폭탄 테러를 벌이는 게 난이도가 낮을 정도로 말이다.

그래서 마이클은 역시 그런 선택을 하려고 했다. 물리적으로 돌파를 하는 방법을.

어쨌든, 윤민혁은 '재머'의 능력 범위를 알아 보기 위해 서울 곳곳을 며칠에 걸쳐서 계속해서 도약을 했다. 재머가 움직이고 있는 것도 생각해야 하기는 했지만. 아무것도 하지 않는 것보다는 훨씬 많은 정보를 얻을 수 있는 방법이었다.

서울의 시 외곽부터 시작해서 계속된 점프는 점점 더 중심부로 좁혀 들어갔다. 마이클의 추론대로 재밍 범위가 수 km인 것으로 가정을 하고 그 정도의 사이 간격을 둔 탐색이었다.

서울 외곽의 지역구들을 여러곳 돌았지만 그의 점프가 왜곡되는 현상은 벌어지지 않았다. 조금 더 중신부로 가까이 다가갔지만 마찬가지였다. 정말로 우연하게도 재머가 빠르게 움직이는 와중에 그 범위가 달라져서 한 번도 걸리지 않았을 수도 있겠지만.

대략적으로 그들이 일을 벌일 수 있는 구역들을 정해둔 마이클의 조직은 슬슬 일을 벌이기로 했다.

*

서울에서 일이 벌어진다면 가장 빠르게 깨닫는 건 아무래도 서울에 있는 점퍼였다.

현재 서울에 있는 조는 김민서와 송일우가 유일했다. 나머지는 기지에 있는 이들도 있었고, 각국에서 들어오는 위급한 의뢰를 처리하고 있는 조도 있었다. 리시버와 다른 한 명이 한국의 지방에서 일시적으로 임무 수행 중인 것은 김민서도 알고 있었다.

그리고 민서가 이상을 깨달은 건 매스 미디어를 통해서였다.

그들이 대비하고 있는 어떤 상황을 실제로 마주하는 최악의 경우이기도 했다.

예상치 못한 지역에서 터진 데다가, 대비하지 않았는 데도 알게 될 정도로 그 규모가 컸다는 이야기니까.

-서울 강남 상공에서 미상의 헬기가 모습을 드러내 비행하고 있습니다. 경찰이 대응을 위해 움직이고 있으며 군부는 갑작스러운 상황에 탐지 체계를 검토하고 협조를 위해 서두르고 있……

인터넷 영상 플랫폼의 공영 방송국 생방송 채널에서 속보가 지나가고 있었다. 저녁 길거리에서 자연스레 습관처럼 스마트폰을 집어들어 인터넷을 들어갔다가, 온통 기사와 검색어가 새로 뜬 기사나 심상치 않은 단어로 도배가 되어 있기에 찾아본 결과였다.

"이런 미친……"

민서는 그간 잘 하지 않던 욕지기가 치밀었다. 머릿속으로 그려보던 예상을 약간 뛰어넘는 모습이었다. 옆에서 걷고 있던 송일우도 상황을 파악하며 실시간으로 인상을 와작, 일그러뜨렸다.

*

가장 빠르게 반응한 건 '최길우'였다.

그 역시 한국에 있었으나, 위치적으로 가까웠기 때문은 아니었다. 때마침 의뢰가 마무리 되고 조직과 연락을 하던 와중에, 조직 내의 태스크 포스에게서 가장 먼저 정보를 전해들었을 뿐이었다.

사건이 터지고 방송국을 통해 매스 미디어가 상황을 전할 때까지, 한국 내의 치안 조직과 공조를 하던 점퍼 조직이 조금 먼저소식을 전해 들었다.

한국, 미국, 일본, 중국, 영국, 프랑스, 독일, 이탈리아, 호주, 캐나

다, 남아공, 인도네시아, 이스라엘, 이집트의 주요 도시에 대해 즉 각적인 비상 상황을 전달받을 수 있는 라인을 구축하고 있는 중이 었다.

서울은 개중에서 상대의 대담함과 성향을 미루어볼 때 제법 위 험도가 높은 지역 중 하나였고, 이번에도 역시 대상이 되었다.

최길우는 때마침 보고를 하기 위해 말을 하다가 새로운 임무와 지시를 받고 움직였다.

그가 서울, 강남 일대가 한 눈에 보이는 상공에 먼저 나타난 이 유였다.

그는 다른 이들의 눈을 신경쓸 겨를은 없었다. 어차피 상공에서 좁쌀만한 인형이 움직인다고 지상의 사람들이 신경을 쓰지도 않을 테였다. 보더라도 착각이라고 치부할 것이었고.

운 좋게도, 일을 꾸미고 있는 이들은 화려하게 움직이는 중이었 다. 그가 일대를 관찰할 수 있는 고도에서 바라보자 눈에 금방 띄 었다.

커다란 헬기 하나가 누가 보아도 발견할 수 있게끔, 서울 시내 의 상공에 모습을 드러내고 있다. 비현실적인 광경이었다.

휴전중인 국가로, 총기를 비롯한 각종 무력 규제에 강력한 힘을 싣고 있는 남한이라는 배경과는 어울리지 않는 상상처럼도 보였다.

드론과도 규모가 다른 일이었다. 심지어, 한 대도 아니었다. 세 대의 헬기가 제각기 다른 움직임을 보이며 혼란을 유도하고 있었다.

그리고 최길우는 곧장 보기 싫은 광경을 목격해야 했다.

헬기 중 한대에서, 무언가가 빠르게 발사되었다. 헬기에 열린 출입구 쪽, 측면에서 튀어나간 발사체였다. 그리고 그건 화약을 담고 있었음이, 순식간에 증명되었다.

서울 강남은 넓은 대로변과 깔끔한 외관을 자랑하는 고층 건물들이 자태를 자랑하는 장소였다. 개중 하나의 옥상 부근에, 깨닫기 싫지만 개인용 로켓 정도로 보이는 물건이 날아가 박았다.

쾅-!

멀리서 폭발음이 들린다. 최길우는 그 비현실적인 광경과 효과음에 정신이 아득해짐을 느꼈다.

재난이었다.

그가 막아야 하는 종류의. 가급적 빠르게 달려가 손을 댈수록, 막을 확률이 높은 것이었다. 시간이 늦어질 수록 터진 둑처럼 최길우의 두 손만으로는 도저히 수습할 수 없는 상황으로 번질 것이다.

최길우는 곧바로 허공에서 떨어지는 와중에 도약을 시도했다. 그가 한 호흡 뒤에 사라졌고, 헬기가 있는 대로변 근처 빌딩 옥상에 모습을 나타낸다.

*

최길우가 현장에 도착하고, 얼마 지나지 않아 김민서와 송일우가 모습을 드러냈다.

그들은 따로 조직으로부터 지시를 받지 않았지만 서울에 있었고, 매스컴을 통해 곧바로 상황을 파악할 수 있었다.

일단 그들도 강남에서 고도가 높은 지역으로 이동했다. 임무를 수행할 때 자주 들르곤 하는 빌딩이었다. 김민서가, 홍인수와 만나서 이야기를 했던 지점이다.

그들 역시 어렵지 않게 소란의 근원지를 찾을 수 있었다. 건물에 막혀서 정확하게 상황을 볼 수는 없었지만 소리의 근원은 명확했다.

해당하는 방향으로 다시 한 번 도약을 한다.

근처 건물의 옥상으로 자리를 옮기자 서울에서 볼 수 없을 것만 같은 광경이 펼쳐져 있었다. 김민서와 송일우는 도심 한 가운데를 날아다니는 헬기와, 건물의 조금 위의 고도에서 프로펠러를 돌리며 소음을 키우는 헬기들을 보아야 했다.

옥상에서 내려다보는 거리는 아수라장이었다. 폭발이 일어났는지 건물에서 확인할 수 있는 어느 빌딩의 옥상이 무너져 내려 있었다. 마치 시내에서 로켓런쳐라도 누군가 발사한 듯한 모습이다.

옥상을 이루던 콘크리트가 무너져 내렸고 폭발의 잔향과 연기가 바람에 실려 흩어지고 있었다.

사람들의 비명이 다소 멀게 들린다. 그들이 있는 옥상에서 거리가 멀기 때문도 있었고, 민서와 일우의 정신이 아득해지는 중이었기 때문도 있었다.

한국에서 오랜 시간 살아온 이들이 겪기에는 받아들이기 어려운 광경이었다. 전쟁을 겪지 않고, 고도화된 한국에서 나고 자란 세대라면 더욱 그럴 것이다.

이 순간에도 세계 각국에서는 화약과 피가 난무하는 전장터가 있었지만, 서울의 현실과는 다소 거리가 있는 사실들이었다. 실제로 전쟁이 벌어진 지는 벌써 칠십 년이 지난 때였으니.

실제로 눈 앞에서 건물이 폭파되는 장면은 아찔한 소음과 열기의 여파, 전염되는 패닉과 혼란 속에서 사람이 다소 받아들이기 어려운 것이었다.

고도로 성장하고 현대화된 사회에서 그런 장면은 그저 유순하게만 살아온 이들에게 지독한 고통으로 다가왔다. 목격하는 것만으로도.

김민서는 일단 자신의 뺨을 본능적으로 한 대 때렸다.

짝!

정신이 전혀 들지는 않았지만, 얼얼한 뺨의 통증이 아주 약간은 느껴졌다. 그는 떨리려는 손에 마인드 컨트롤을 했다. 지금 자신이 바라보는 현실과 스스로를 다소 동떨어지게 생각했다. 그런 식으로라도 당장 움직일 수 있다면 나은 것이었다.

송일우가 그의 어깨에 손을 얹었다.

"…정말로 갑작스럽게 찾아오는군요. 상대방의 실력에 감탄을 할 지경입니다."

이런 상황에서 건네는 농담은 어딘가 위안이 되는 면이 있는 것이었다.

김민서는 간신히 정신을 차리려했고, 송일우가 도약을 시도했다. 일단 상황을 좀 더 자세하게 관측할 수 있는 시야를 위해서였다. 지금 그들이 바라보는 건 날아다니는 헬기의 조금 떨어진 후면이었다.

송일우는 현장 바로 앞으로 움직였다.

*

불타버린 폐허, 라는 말이 어울렸다. 송일우와 김민서는 로켓으로 인해 쑥대밭이 된 건물의 옥상에 나타났다. 커다란 빌딩의 옥상의 넓은 면의 일각이 무너져 내렸다. 반파라고 해도 좋은 수준이었다. 그 바로 아래층은 공실이었다. 직접적인 인명 피해가 즉각적으로 나타나지는 않았다.

매캐한 화약의 냄새와 검게 타들어간 콘크리트 돌조각, 먼지와 자욱한 안개.

고층 빌딩의 옥상에서 불어오는 바람이 이것저것 뒤섞여서 느껴졌다. 송일우와 김민서는 옥상에서 그나마 멀쩡한 뒤쪽 구간에 선 채였다. 헬기가 날아다닌다.

정면에서 느껴지는 헬기의 위압감은 생각보다 대단했다. 재난이나 재앙이라는 단어가 떠오른다. 잘 정돈된 시내 거리에서 이 따위 비쥬얼을 구경할 줄이야, 송일우는 속으로 배짱 좋게 지껄였다.

헬기는 그들이 있는 건물 옥상보다 조금 높게 있었다. 다른 고층 건물들보다는 약간 아래였다. 그러니까, 시내의 도로를 바로 아래로 둔 건물 사이 상공에 헬기가 비행하고 있었다.

전체적으로 검고 군데군데 은빛으로 색을 나타내는 톤의 헬기였다. 프로펠러가 돌아가는 소리와 그것이 만들어내는 양력의 반대 방향으로 부는 바람이 소란스럽다.

헬기의 머리 부분이 정면으로 보인다. 다소 멀리 떨어져 내부의 인형까지 확인하기는 쉽지 않았다. 송일우는 움직이고 있는 물체의 내부로 순간이동을 하는 일에 대해서는 다소 불안한 감이 있었다.

점프 능력도 개인차가 있었고, 고도의 훈련에 따라서 실전에서 쓰일 수 있는 활용법에 차이가 있었다. 3차원적으로 움직이는 다각도의 전장에서는 결국 리시버나, 마스터, 혹은 점퍼 조직에서 오래도록 임무를 수행한 여타의 베테랑 요원들이 필요했다.

송일우는 배짱도 좋고 개인 전투 능력 또한 누구에게도 뒤지지 않도록 훌륭한 편이었지만 점퍼로서의 정밀도에서는 다소 무딘 편이었다.

그는 섣불리 점프를 하지는 못했고, 그들의 동태를 지켜보았다. 상대편에서 이쪽을 노린다면 곧바로 피한다. 시간을 끌고 민간인의 피해를 최소화한다면 그들이 할 수 있는 최선일 것이다.

－

엮은이의 변:(**민**서의 JE2로 만들어지는 역장은 점퍼를 구분할 수 있도록 점차 능력이 개발되어갔다. JE를 이용해 대상을 구분하며, 민서가 익숙하게 인지하는 조직의 점퍼들은 역장의 왜곡에서 선택적으로 벗어날 수 있었다.)

－

264

헬기 역시 그들을 인지했는지 슬쩍 그 머리를 돌리려 작게 선회를 했다. 헬기의 측면의 승강구는 열려 있는 채였고, 누군가가 타고 있었다. 송일우와 김민서에게는 불행하게도, 심지어 길고 흉흉해 보이는 쇳덩이의 끝을 그들에게 겨누고 있었다.

그러니까– 고정해둔 채 운용하는 본격적인 기관총의 총구였다.

"이런," '씹.'

송일우는 차마 뒷말을 뱉지도 못하고 긴장한 채 준비하던 도약을 실행했다. 머리를 웅크리며 뒤를 돌았다. 곁에 있던 민서를 가리면서 말이다.

어차피 방탄 피복을 입고 있었으니, 타격만으로 단번에 목숨을 잃지는 않을 테였다. 머리만 맞지 않는다면. 아마 골절상은 입을 테지만.

다행히 아슬아슬한 지점까지 적의 움직임을 유도하며 도약을 준비하던 송일우의 점프가 더 빨랐다.

헬기가 움직이며 정확하게 조준점이 송일우와 김민서를 향했고, 그것의 방아쇠를 쥐고 있던 필리핀인 청년, 이 발사를 했다.

묵직한 총열이 벼락처럼 총탄을 쏟아내기 직전에 송일우와 김민서가 먼저 모습을 감췄다. 후욱, 하는 미세한 소리였다. 그리고 곧 그 위로 대구경의 납탄들이 그 머리를 앞다투어 박았다.

투두두두두두두두!

대구경의 기관총의 격발음은 벼락이 지나가는 소리와 그다지 다르지 않았다. 서울 도심에서 듣기에는 썩 시끄러운 소리였다. 저녁, 크리스마스를 2주 정도 남기고 있는 어느 날.

크리스마스 분위기의 장식이나 다소곳하게 거리를 걷는 연인들이 인도를 채울 무렵 모든 정감과 일상적인 광경을 박살내는 총성이었다. 초당 수십에서 백발을 쏟아내는 쇳덩이의 움직임에 사람들의 패닉이 심화되었다.

크리스마스와는 그다지 어울리지 않는 분위기였다. 반짝이는 도심의 조명이 도리어 비현실적으로 느껴졌다. 거리를 평화롭게 걷던 연인들은 비명을 지르면서 사방으로 달려 나갔다. 도로를 지나던 차들도 통제를 잃고 마구잡이로 달려 나가기 시작했다. 다행히 정체나, 차선을 벗어나 들이 박는 차들은 없었다.

새 떼에게 총을 쐈을 때 그것들이 모조리 달아나듯이 시민들이 자리를 피한다.

서울, 강남은 이전에 마이클이 드론을 이용해 폭탄을 던졌던 곳과도 그리 멀지 않은 지역이었다. 그리고, 사람들이 많이 모인 번화가이기도 했다. 서울 전역은 이곳저곳에 정치적 주요 기구나, 다국적 기업들의 본사들도 많이 있는 곳이었으니 자연스레 경계 수준도 많이 올라가는 구간들이 많이 있었다.

미리 마이클의 존재를 짐작하고 각국의 중심지에 치안 조직들과 연계를 하고 있던 점퍼 조직이 있었기에, 군경의 대응은 제법 빠른 편에 속했다.

헬기가 모습을 드러내고, 폭발이 난 지 얼마 지나지 않아서 근처에 진을 치고 있던 경찰 병력들이 당도하기까지 수 분이 채 걸리지 않는다.

시민들은 빠르게 해당 지역에 돌입해서 사이렌을 울리고, 대피를 위한 통제를 유도하는 경찰 부대를 금방 만날 수 있었다.

투두두두두, 하고 큼지막한 납탄들을 부려댄 발칸은 빌딩 옥상을 마저 초토화시켰다. 이미 일각이 반파된 콘크리트 뒤로, 멀쩡했던 옥상의 바닥들이 기관총에 패이고 순서대로 무너져내려갔다.

필리핀인 사내, 마이클의 부하는 한참이나 기관총을 갈겨댔다. 약 십 수초는 넉넉하게 넘도록 말이다. 철근이 드러나도록 콘크리트들이 갉히고 패이고, 부서졌다. 옥상에 다행히 폭발할만한 시설물이 없어서 연쇄적인 폭발이 일어나지는 않았다.

겨울 저녁. 해는 이미 졌고 건물들의 조명만이 사람들의 시야를 밝히는 도심지에서 악몽 같은 교전이 시작되었다.

***

*

"부머Boomer, 확인 됐습니다! 한국 서울, 강남 상공입니다!"

태스크 포스를 이루어서 각국의 주요 도시의 치안 병력들과 연락을 유지하던 상황 통제실에서 비명처럼 보고가 터져나왔다. 비점퍼 요원인 그녀가 고성으로 말하기 전에, 사실 이미 다른 이들도 알 수 밖에 없었다.

꽤나 규모가 큰 훈련실 하나를 전부 꾸며놓은 상황실의 벽면에는 수십, 수백 개의 화면들이 동시에 나뉘어 띄워져 있었고 개중 하나에서 누가 보아도 비정상적으로 보이는 붉은 톤의 신호와 함께 시내를 찍은 CCTV가 흘러나왔기 때문이다.

각국의 공무 조직에서 유지하고 있는 화면이나 정보들을 그대로 받아서 동시에 공유하고 연락선을 연결해둔 상태였다. 그와 거의 동시에 음성 통신으로 한국 쪽에서 파악하는 정보들이 흘러들어왔다.

단발 머리, 헤드폰을 끼고 자신의 자리에서 PC나 터치 패드를 조작하던 그녀가 한국 상황을 전파하자 곧 집무실에 있던 커맨더와 코치에게도 전해졌고, 조직 내 비상 태세를 유지하던 전 조직원에게 이어 퍼졌다.

순차적으로 바로 움직일 수 있는 요원들의 리스트가 올라왔고, 개중에서 최길우가 먼저 투입되었다. 믿을만한 인선이었다. 소드 마스터나 리시버는, 재난이라 할 수 있는 대형의 파괴 상황에서도 불안감 없이 돌입을 지시할 수 있는 몇 안되는 요원들이었다.

마이클 샌더스의 임시적인 코드 네임은 '부머'였다. 언제 어디에 나타날 지 모르는 미치광이 폭탄마 테러리스트라는 의미였다. 그들이 분명히 한 명은 아니었으나, 그와 상관없이 식별을 위해 임시적으로 붙여진 별명이다.

누군가의 비명처럼 상황 전파가 순차적으로 이어졌다. 한국 치안 조직에서, 점퍼 조직으로, 점퍼 조직 통제실에서 각 현장 요원들과 그 외 모든 요원들에게로. 치안 조직 현장 인원들에게서 수뇌부로, 그리고 다시 각지에 퍼져 있는 치안 병력들에게로.

치안 병력들만의 일도 아니었고, 군부에서도 협조를 요청 받아서 움직이기 시작한다. 각 지역을 맡는 군부대가 섣불리 모조리 움직일 수는 없었지만, 약간의 협조는 가능했다. 헬기라니. 기관총이나 로켓 런쳐라면 치안 병력의 화력만으로는 이미 안정적으로 진압할 수준을 한참이나 벗어났다.

한국에 있는 조직들의 수뇌부, 통제실에서는 실제로 고성이나 비명이 더 크게 오갔다. 서울 시내에 갑자기 헬기가 나타난다고? 대공 방어 체제를 무시하는 처사였다. 테러리스트도 상도가 있지. 그모든 감시망을 피하고 갑자기 나타난다니.

점퍼라는 족속들은 상종하지 못할 작자들이었다.

다만 다행인 것은, 그 점퍼 족속의 일부는 또한 조직적으로 그들을 돕고 있다는 것이다.

*

12월 17일, 토요일. 수정은 조금 늦은 저녁을 집에서 먹고 있었다. 연말에 별다른 약속이 많지는 않았다. 일찍이 하루 일과를 정리하고 마치고 있었고, 다만 먹을까 말까 고민하던 저녁을 허기짐을 이기지 못하고 챙겨 먹던 와중이었다.

혼자서 라면을 끓여서, 반찬 몇 개를 꺼내어 먹다가 TV를 켰고, 곧 공영 방송의 연속극을 제치고 흘러 나오는 속보에 저도 모르게 리모컨을 툭 떨어뜨렸다.

"……어?"

271

같은 서울에서 일어나고 있는 일이었지만, 거리도 제법 있었고 당장 현실적으로 여파가 미치는 일은 없었다. 그러나 당장 십 수 km거리 바깥에서는 요란스런 사건이 일어나고 있었다.

수정은 저도 모르게 그녀의 친한 친구를 생각해냈다. 그가 하고 있는 일에 대해서 많은 부분을 알지는 못했지만, 어느 정도 상상해 낼 수 있는 추리력은 있었다. 불법적인 일은 아닌 것 같았지만, 위험한 현장에는 자주 얽혀드는 것 같았다.

그가 농담처럼 말하고는 하던 비유들이 사실은 비유가 아니었음을 자기도 모르게 직감적으로 깨달았다. 그리고 잘은 모르지만, '점퍼'라는 순간이동자와 관련된 것이 그가 하고 있는 일의 정체라면 아마 높은 확률로 저 장소에 있을 것 같았다.

그녀도 10월 초, 서울에서 일어났던 테러 현장에 있었고 거기에서 모습을 감추는 테러리스트를 목격했으니. 그 미치광이 또한 '점퍼'라면 민서와 관계된 이들 역시 그들을 막기 위해 움직이고 있을 테다.

"……"

서울에서 일어나는 일 자체도 문제였지만, 가깝게 아는 사람이 저 현장에 있으리라는 가능성 높은 추측을 하고 나니 왜인지 입맛이 싹 가져버렸다.

*

부머.

반역자의 이름을 딴 조직을 만든 마이클 샌더스를 상대하기 위해서 만전의 상태를 유지하는 건 힘든 일이었다.

점퍼 조직과, 사회가 지켜야 하는 공간은 많고 또 넓어 전력을 퍼뜨릴 수 밖에 없었지만 공격자는 아무 곳이나 골라서 손쉽게 전력을 투사할 수 있었으니 말이다.

또 상대가 정체를 드러내고, 조직이 운용할 수 있는 화력이나 병기가 다양하다고 해도 그것을 아무렇게나 난사할 수도 없었다. 그들은 엄연히 지키는 입장이었기 때문에.

사람들이 드글드글하게 모여 있는 대도시에서 난전이 벌어진다면 점퍼 조직이 할 수 있는 공격은 상당히 제한적이 된다. 함부로 화약류를 난사했다가는 주객이 전도되고 말 테니까.

결국 엘리트 병력이 제 때 돌입해서 핀포인트로 상대방을 저격하는 수 밖에 없었다. 일반적인 병력이 오기까지는 다소 시간이 걸렸고, 현장에 가장 빠르게 대응 가능한 건 역시 점퍼들이다.

전투의 양상은 결국 소규모 인원의 게릴라전이 되고 만다.

공격의 중요한 점이 화력보다는 정확하게 목표에 가 닿는 것이라면, 사실 그렇게 비대한 화력이 필요하지도 않았다. 공간의 제약을 넘어서 활약할 수 있는 점퍼들이 참전자라면 더욱 그럴 것이었고.

리시버는 일단 과감하게 움직였다.

제각기 기동하는 세 대의 헬기는 서울 시내 상공에 있기에는 지나친 재앙이었다. 빠르게 무력화시킬 필요가 있었다. 이미 한 대가 탑재하고 있는 기관총을 빌딩 옥상에 뿌려댄다.

리시버는 건물 옥상들보다 높은 상공에서 움직이고 있는 한 대의 헬기 내부로 도약을 한다.

고속 이동하는 물체 내부로의 점프는 약간의 노력과 계산, 훈련이 필요한 작업이었다. 물체의 속도와 방향을 계산해서, 결국 미리 도약 지점을 암산해내야 하는 일이었기에 그렇다.

이런 정밀한 계산은 점퍼의 뇌로 다 해내는 일은 아니었고, JE 가 작용하는 자연스러운 과정에 포함된 것이었다. 점퍼들의 점프 는, 결국 눈에 보이지 않는 미상의 컴퓨터가 개인마다 있어서 움직 이는 것이라고 생각하는게 편했다.

그러나 같은 기계가 있더라도 다루는 이에 따라서 성능에는 차 이가 난다. 최길우는 그런 운용에 있어서 달인에 가까운 자였다. 조직 내에서도 말이다.

우선, 다소 속도를 높여 날고 있던 보다 고도가 높은 두 대의 헬기 중 한대의 내부를 향해서 한 도약이었다. 그가 어느 빌딩의 옥상에서 사라졌다. 그리고 한 헬기의 탑승석 자리에 정확하게 나 타난다.

후욱, 하고 나타나는 그를 보고 내부에 있던 이들이 소스라치게 놀랐다. 마이클이 다루는 이들 중에서도 점프에 대해서 정작 경험 을 하지 못했거나, 혹은 익숙치 않은 자들도 많았다. 최길우가 침 투한 헬기 내의 인원들은 그런 부류였다.

"으아악!"

어느 금발의 서양인 남성이 꼴사납게 비명을 질렀다. 제법 건장 한 체격에 각종 무기로 무장을 하고 있는 채였다. 최길우는 도약

전에 미리 자켓에서 빼들은 권총을 쥐고 있었다. 그는 한 치의 망설임도 없이 잠금을 풀고 장전을 하고,

손을 뻗어 조준을 한다. 그리고 시야가 회복되자마자 오조준을 교정하고 곧바로 방아쇠를 당겼다. 헬기 내부에서 총질을 하는 건 제법 터프하고 위험한 일이었지만 리시버는 아랑곳하지 않았다. 눈앞의 사내의 허벅지를 정확히 노려서 쏘았다. 탕! 탕! 으악, 하고 비명을 지르며 사내가 균형을 잃었다. 헬기 내부는 제법 공간이 있었고 여럿이 대기하고 있는 상태였다. 기관총은 헬기의 승강구 근처에 고정되어 있었고, 최길우는 기관총을 사이에 두고 탑승자들을 겨누고 있었다. 최길우가 헬기의 전면, 조종사에 가까운 편이었다.

리시버는 내부에 있는 이들에게 망설임을 보여줄 생각이 없었다. 그는 그대로 자동 권총의 탄창이 빌 때까지 갈겼다. 타타타탕! 빠른 연사였지만 조준은 완벽했다. 도탄으로 인해 다치거나 죽는 어이없는 일은 없었다. 비좁은 실내에서 옹기종기 모여 있는 적 조직의 일원들이 도탄에 다치기는 했다.

헬기를 조종하고 있는 조종사도 또한 무언가를 하고 싶었지만 손을 놓으면 더 답이 없는 상황이 펼쳐졌다. 내부에 있는 사람들은 조종사를 포함해 5명이었다. 최초의 서양인 사내 한 명을 쓰러뜨리고, 그 뒤에 있는 둘을 더 침묵시키자 조종석 옆자리에 있던 자가 뒤에서 총구를 디밀었다.

리시버는 그대로 팔을 먼저 뻗어서 자신의 뒤통수 즈음을 겨누는 권총의 총구를 잡아챘다. 몸을 돌리며 관성으로 그대로 상대의 팔을 쭉 내렸다. 상대의 총구가 리시버의 뒤통수에서 그의 허벅지, 헬기 바닥, 그리고 열린 승강구 너머의 허공을 향한다. 탕, 타탕! 지독한 통증이 허벅지에서 느껴졌지만 관통상은 아니었다. 그리고, 전투를 지속할만했다.

최길우는 타격에 긴장감으로 몸이 굳는 걸 느끼며 그대로 주저 앉듯이 의자 쪽에 앉아 있던 상대를 억지로 당겨왔다. 체중을 실어 끄집어내듯 상대를 끌자 그가 자세가 무너지면서 엉망으로 넘어온다.

리시버는 그대로 헬기 바닥에 주저앉아 상대의 팔을 암바로 가볍게 부러뜨렸다. 뿌득. 끄아아악! 체격이 꽤 있는 중동 계열 인종의 사내였다. 그는 그대로 다리를 길게 뻗어 상대의 목을 종아리와 정강이 부근으로 졸랐고, 요령 좋게 먹혀 들어간 초크는 얼마 지나지 않아 상대를 기절시켰다.

대강 헬기 내부가 정리가 되었다. 별다른 반응도 하기 전에 팔다리에 납탄이 박혀 쇼크로 제대로 움직이지 못하는 몇 명과, 의식을 잃은 한 명이 있었다.

헬기 조종수는 가볍게 등께를 떨었다. 악당도 두려움은 있다. 그것이 겉보기에 초인적인 퍼포먼스를 보여주는 전투가를 본다면 어쩔 수 없는 반응이다. 리시버는 안타깝게도, 헬기 조종에 대해서 정확하게 알지는 못했다. 그는 재킷 안쪽에 넣어두는 작은 군용 단검을 빼 들어 조종사의 볼에 그 칼면을 꾸욱 눌러 댔다.

"안전한 데 착륙합시다. 알겠습니까?"

살에 붙인 칼 면 너머로 덜덜, 떨리는 조종사의 감정이 전해졌다. 그는 고개를 끄덕이며 대답도 하지 못하고 조심스럽게 헬기를 몰았다.

*

헬기 한 대는 처리가 되어가고 있을 무렵, 나머지 한 대에는 마이클이 직접 타고 있었다. 가장 고도가 높은 헬기의 내부였다.

"도로 공사가 다시 필요해 보이는 부분이 있군."

마이클은 각도를 아래로 잡았다. 그가 들고 있는 로켓 런처의 전면부를 말이다. RPG, 라고 불리는 로켓 런처는 비교적 가볍게 운용해서 큰 폭발을 일으킬 수 있는 개인용 중화기이다. 그는 익숙

278

하게 각도를 조절하다가, 옆에 있는 조종석의 뒷면을 툭툭, 쳤다.

어깨에 로켓 런쳐를 걸쳐둔 상태였다.

마이클의 두드림에 조종사가 알아 들었는지 헬기를 느리게 선회하면서 아주 약간 기울어졌다. 마이클은 헬기 내부의 지지대와 연결되어 있는 안전 벨트와 두 다리에 의지해 몸을 고정하고 런쳐를 발사한다.

로켓의 출사구 뒤편으로 강렬한 바람이 불었고, 반대편 승강구로 뻗어나갔다. 그대로 화살보다 빠른 속도로 날아가는 로켓 런처가 강남의 대로변에 직격했다.

사람들이 서둘러 빠져 나가고 있는 중이었고, 마이클은 일단 극적인 효과를 위해서 한 발을 쏜 것이었다. 주차 되어있는 빈 차가 폭발 범위에 휘말려 들었고, 이어서 그가 바라마지 않던 연쇄적인 폭발을 일으켰다.

콰-아앙! 쏜살같이 날아간 탄두가 화염을 일으키며 도로의 한구석을 폐허로 만든다. 자동차 역시 내부의 기름 때문인지 불꽃을 더하며 영화의 한 장면 같은 모습을 연출했다. 마이클은 썩 마음에 드는 광경이라고 생각했다. 더 큰 파괴와 혼란이 있을수록, 트라우마는 깊어질 것이다.

세계 정세의 뒷면에 숨어 있는 점퍼 조직들을 흔들어 튀어나오게 하기 위해서 그만큼 좋은 것이 달리 없었다.

마이클이 있는 헬기에는 유진이 같이 있었다. 윤민혁은 다른 한 대의 헬기에 타고 있다. 그들은 되는대로 부수고, 폭발시키고, 혼란을 유도한 다음 도망치려는 생각이었다. 점퍼 조직이나 과도한 병력이 막으러 와도 좋고, 그러지 않아도 좋다. 어차피 이번 테러는 눈요기에 불과하다. 더 직접적인 공격은 결국 점퍼 조직의 본부 기지에 행해질 것이다.

점퍼 조직의 와해, 가 마이클의 목표였다.

*

로켓에 의해 도로가 박살나는 광경은 아무래도 구경하기 어려운 장면이었다. 보고 싶지는 않았지만, 김민서와 송일우는 다시 현장에 돌아왔다. 잠시 점퍼 기지의 본부로 도약을 했다가 다시 돌아온 참이었다. 그들은 전방 100여m 앞에서 로켓 런처가 콘크리트 도로를 박살 내는 광경을 마침 목격했다.

어느덧 거리에는 사람들의 인적이 없었다. 이미 거리에 있던 이들은 제 발이나 차를 이용해 도망을 간 뒤였고, 근처 지역에서 시끄럽게 사이렌을 울려대는 치안대의 소리가 들리는 것 같았다.

송일우는 심각한 문제를 앞에 두고 있는 사람의 기분으로 아직 날아다니고 있는 헬기들을 쳐다 보았다. 언제든 입체 기동을 할 수 있는 헬기 내부로의 도약은 역시 아직 어려운 면이 있었다. 대신, 쓸만한 물건을 가져왔다. 시내에서 이것을 사용해도 되는지는 모르겠지만.

철컥.

송일우는 그 새 챙겨온 소총을 견착했다. 그대로 총구를 위로 들어 올려 상공 수백 미터 위에 있는 헬기를 겨누었다. 맞아도 좋고, 아니어도 견제의 의미 정도는 전달 될 것이다. 먼 거리였지만 프로펠러를 맞춘다면 헬기가 무력화 될 수도 있지 않을까 했다.

두두두두두두두! 송일우는 앞으로 걸어가면서 대각선 상향에 있는 헬기를 겨누고 사격을 갈겼다. 허공에는 다행히 다른 것은 없었고, 빌딩 사이의 상공에 엄폐물이나 시민이 있을 리도 만무하다.

일반적인 걸음을 걷는 속도로 다가가면서 순식간에 탄창을 비워내고, 여기저기 주머니에 챙겨 온 탄창을 갈면서 다시 연속 사격을 했다.

시끄러운 폭음이 귀를 먹먹하게 만들었다. 옆에 있는 민서는 송일우와 동일한 속도로 앞으로 가는 것 외에는 방법이 없었다. 혹시라도 공격이 이쪽을 향한다면, 그가 피할 길은 송일우와 같이 단체 도약으로 벗어나는 것뿐이다.

한산한 도로. 인적이 없는 곳에서 마음대로 총을 갈겨보는 것도 나름대로 색다른 경험이었다. 송일우는 묘한 해방감을 느꼈다. 그러나, 그런 해방감이 오래 가지는 못했다. 상공에서 헬기를 타고 소총 견제를 받는 쪽도 적잖이 해방감을 느끼고 싶어하는 모양이었다.

송일우가 노린건 개중에서 가장 고도가 낮은, 그들을 먼 곳으로 도약시킨 헬기였다. 그 헬기가 좌우로 복잡하게 기동을 하더니 그 승강구, 옆면을 그들이 있는 도로 쪽으로 기울였다. 건물과 건물 사이의 도로는 헬기가 날기에는 충분하지 않다. 앞 뒤로 길게 뻗으면서 약간의 선회를 한다. 그 과정에서 각도가 기울여졌고, 헬기 내부의 바닥과 용접으로 고정되어 있는 기관총이 겨누어졌다.

"오 싯."

송일우는 영어로 욕지기를 뱉으며 곧바로 옆에 있는 김민서의 어깨에 손을 댄다. 도약을 준비했고, 그들이 사라지고 난 자리에 한발 늦게 기관총의 납탄들이 수백발 정도 쏟아졌다. 두두두두두두! 멀리서 들어도 귀따가운 소음이었다. 강남 시내는 때 아닌 총성으로 가득 찼다. 사람들의 공황은 더욱 더 커져갔다.

빠르게 움직일 수 있는 이들은 움직여서 대피를 했다. 그러나 건물 내부에 있는 시민들은 따로 피할 도리가 없었다. 그들은 건물 내부에서 테이블 아래에 숨거나, 최대한 건물의 귀퉁이나 모서리에 가서 몸을 웅크린 채 자신을 보호하려 굴었다.

여기저기서 비명이 터져나오고 인터넷이나, 전화기로 상황을 파악해보려는 시도가 이어졌다. 그러나 경찰서 근처 지구대의 수화기는 이미 몰리는 통신으로 더 이상 받을 수 있는 상황은 아니었다. 그리고 그 전에 이미, 치안 병력들이 차를 몰고 빠르게 서울 시내를 질주하고 있었다.

마이클은 병력들이 도착하기 전에 조금 더 화려하게 도시의 인테리어를 바꾸어줄 생각을 했다.

*

"이런 빌어먹을!"

리시버는 기어코 욕지기를 내뱉었다. 아찔한 군용 대검의 차가운 칼면이 얼굴에 대어진 상태에서도, 마이클의 부하는 제대로 헬기를 조종하지 않았다. 어느 정도 얌전하게 구는 척을 하다가 멋대로 방향을 선회하려 했다. 낌새를 보아하니 적당한 빌딩에 들이 박으려는 심산처럼 보였기에, 리시버는 그대로 나이프를 역수로 쥐어 조종사의 어깨에 박아 넣었다.

"으아악!"

체격이 그리 크지 않은 백인 계열의 조종사가 비명을 질렀다. 어떤 나라이던 비명은 비슷하다. 리시버는 그대로 팔뚝을 밀어 넣어 조종사의 목을 조르며 경동맥을 압박했다. 다른 한 손은 몸을 깊숙이 숙여서 조종간을 쥐고 고도를 높여야 했기에 쉽사리 걸리지는 않았으나, 요령 좋게 적절하게 압박이 되어가고 있었다.

뒤에서 신음을 흘리며 쓰러져 있는 다른 부하들은 용케 열린 승강구로 몸을 내놓지 않고 구석에 잘 몰아서 숨을 쉬고 있었다. 팔이 부러진 채 널브러진 인간도 조종석 근처의 자리에 몸이 끼어 있어서 헬기가 요란스런 비행을 하는 와중에도 떨어지지 않는다.

리시버는 생에 자주 느껴보지 못할 간절함으로 조종사의 의식을 잃게 하면서 해본 적도 없는 헬기의 조종을 하며 애를 썼다.

조종간을 사력을 다해 잡아당기며, 온갖 감각을 동원해서 컨트롤한다. 제대로 된 방법은 모르지만 어떻게든 빌딩에 부딪히지 않기 위해 속으로는 기도마저 하고 있었다. 리시버가 조종수의 속셈을 빨리 알아챈 덕에, 헬기가 빌딩에 부딪히는 일은 없었다.

다소 아래로 향하던 헬기가 장애물이 없는 상공으로 빠져나온다. 세게 힘을 주는 동안 조종수는 몸이 축 늘어져 기절을 한 채였다. 제한 없이 힘을 주었던 터라 잘못하면 목 뼈가 부러졌을 뻔도 했다. 리시버는, 그대로 방향을 조작하며 먼 상공을 날아갔다. 대강 계기판을 보고 방향 정도는 추리해볼 수 있었다.

서쪽으로, 가까운 바다로 가서 물에 처박던 해야 할 것 같았다. 착륙 같은 어려운 조작 따위는 꿈도 꾸기 어려운 상황이었다. 비행이 적당한 고도를 유지하면서 안정적으로 움직인다면, 약 1분 내외의 여유만 있다면 기지로 가서 헬기 조작이 가능한 인원을 데려올 수도 있기는 했다. 리시버는 불안감과 간절함 사이에서 요동치는 마음을 다잡으면서 헬기를 시외곽으로 천천히 몰고갔다.

다행히, 부자연스러운 헬기의 출몰에 근처 군부대에서 대공 사격을 해오는 일은 없었다.

*

마이클은 빠른 시간 내에 화려한 흔적을 남기기를 원했다. 저번에는 초고도의 상공에서 다소 시간이 걸리는 방법으로 포격을 가했다면, 이번에는 그만한 위치 에너지를 받을 시간이 없기에 간단한 방법을 선택했다.

헬기 내부에 모아 두었던 폭탄을 잔뜩, 꺼내서 그대로 도로에 투하할 생각이었다. 적당히 집어 던지면 빼곡히 들어찬 건물에도 맞을 것이고, 서울은 그야말로 잊지 못할 흉악한 겨울 밤을 기억하게 될 것이다.

헬기의 프로펠러 소리와 여기저기서 이어지는 총성에 주변 상황을 정확하게 파악할 수는 없었다. 마이클은 조종사에게 언질을 하며 천천히 주위를 돌라고 한다. 시간을 너무 오래 끌면 한국 내부의 군경에게 제압을 당할 확률이 높았다. 그는 준비해 온 물건들을 빠르게 털어내고 도망가려는 생각이었다.

"유진! 다 떨궈!"

Drop it out! 마이클의 고성에 유진은 침착하게, 헬기 내부 뒤편에 적재 해두었던 박스들을 옮겼고, 그것들을 승강구의 열린 넓은 틈으로 아무렇게나 쏟아냈다.

강습, 폭격이었다. 잘 포장 되어 있는 플라스틱 박스들이 헬기의 움직임에 따라 우수수, 지상으로 떨어졌다.

연쇄적인 폭발이 바람에 실려 아무렇게나 날아간 폭탄들로 인해 벌어졌다. 대로변이 깨어져 나갔다. 건물의 1층 부근에는 근처에서 일어난 폭발의 화염과 파편, 압력으로 인해 피해를 입었다. 전시장의 유리들이 엉망이 되어 깨져 나갔다.

폭탄이 터지고 총격이 벌어졌을 때 각 건물의 1층에 남아있는 사람들은 없었다. 빌딩은 그들이 교전 장소에서 벗어나지 못하게 만드는 구조물이었지만 동시에 일정 수준 이하의 폭발에서 지켜주는 울타리이기도 했다.

서울 도심 거리에 화염이 자욱했다. 매케한 폭약 냄새와 폭연, 부서져서 날아가는 콘크리트의 파편과 먼지가 거리를 메운다. 빌딩 내부의 사람들은 전쟁을 유사하게 경험하고 있었다. 경찰의 화력으로는 이미 진압이 어려워 보이는 상황이다.

교전 지역으로 돌입하려던 특수 경찰 병력들이 주춤할 정도의 위력이었다.

마이클은 사방으로 깨어져 나가는 도시의 모습을 보면서 부족함을 느꼈다. "유진, 계속 떨궈! 그걸 다 떨어뜨릴 때까지다!"

헬기의 비행도 빌딩을 피해야 했기에 차선 위쪽으로 제한될 수밖에 없었다. 유진이 자신의 힘으로 폭약 박스들을 멀리 집어던질 수 없었기에 다행히 빌딩 피해는 적었다. 도로가 초토화가 되었고 대신 지상 병력들이 진입하기 어려운 환경이 만들어지고 있다.

사람들은 비명을 지르면서 더 멀리, 도망가기 위해 움직인다.

점퍼 조직에서 당장 움직일 수 있는 모든 점퍼들이 움직이고 있었다. 그들은 상황이 발생하자마자 연락을 받고, 서울 강남의 좌표를 통신으로 받고 점프를 해왔다.

그들은 정신없이, 도망치는 시민들의 몸에 손을 대고 장거리 도약으로 안전한 곳에 데려다 놓고 다시 돌아오기를 반복했다. 그들의 활약과 통제 속에서 대피는 큰 피해 없이 이루어지고 있었다. 지금까지도 계속되고 있었지만.

건물 내부의 사람들을 대피 시키기 위해서도 분주하게 움직이는 중이었다. 급한대로 빠르게 도약을 하다보면, 수백에서 수천 정도는 구할 수 있었다.

마이클은 그것이 마음에 들지 않았지만 어쨌든 일방적인 공세를 퍼부을 수 있다는 점에 만족했다. 생각보다 사상자가 나오지는 않고 있었다.

쿠콰콰쾅. 도로변이 울리는 진동과 함께 연쇄적으로 폭격이 지속되었다. 그가 헬기에 싣고 있는 폭약 박스만 해도 백여 개가 넘었다.

마이클의 말대로, 순식간에 도로 공사를 하고 있는 꼴이다.

홍인수 역시 급하게 처리하던 임무를 마치고 서울로 움직였다. 그는 상공에서 폭탄을 쏟아내는 헬기를 목격했고, 걸음이 느린 여성이나 노인 몇 명을 대피시켜주고 난 뒤 다시 폐허가 된 콘크리트 돌무더기 위에 서 있었다.

이미 이런 식의 피해를 입은 순간에, 어마어마한 예산 손실이 날 것이다. 국익에 백해무익한 테러리스트를 배제하기 위해서 홍인수가 도약을 시도했다.

***

빌딩 사이를 지나며 폭탄을 떨어뜨린 헬기가 다시 고도를 높이고 있었다. 윤민혁이 타고 있는 헬기는 다소 낮은 고도를 유지하면서 대응 병력이 오는지를 살피고 있었다. 눈에 띈다면 곧바로 기관총 사격으로 견제를 하기 위해서였다.

홍인수는 일단 헬기의 모습을 좀 더 확인하기 위해, 빌딩 고층 건물의 상부로 이동을 했다. 대로변에 있던 그가 빌딩 내부로 이동했다. 잠깐의 텀이 지나고 그가 주변을 살폈다. 일반적인 대기업 회사 건물처럼 보이는 곳이다. 그가 이동한 곳은 이미 사람들이 다 대피한 후인지 썰렁하게, 불이 켜진 사무 집기만 남아 있었다. 그는 벽면 전체가 유리인 통 유리창 너머로 하늘을 살폈다.

도심의 거리는 아직 꺼지지 않았다. 빌딩들의 불빛도. 헬기 자체에서 쏘아내는 불빛도 있었기에 헬기의 위치를 식별하는 건 쉬웠다. 아닌 밤중에 벌이기에는 너무 하드한 장난이었다. 홍인수는 윤민혁이 타고 있는 헬기의 근처 높이에 있었다.

윤민혁이 타고 있는 헬기가 도로 주변을 다시 돌면서 방향을 바꾸었다. 승강구가 빌딩들을 향하는 쪽으로. 그건 곧 기관총의 총구가 건물들을 향한다는 뜻이었다. 마이클의 뜻에 따라, 적절한 상흔

290

을 남겨주는게 이번 테러의 목적이었다. 홍인수는 헬기의 움직임을 보고 곧바로 건물 내부에서 도약을 시도했고, 한 호흡 뒤에 그가 사라졌다.

빠르게 움직이는 헬기 내부에서 필리핀인 사내가 방아쇠를 조작했다. 기관총의 총열이 흔들리며 굉음과 함께 납탄이 쏟아졌으나, 1초를 채 넘기지 못했다. 후욱. 하는 아찔한 감각이 느껴졌다.

도약을 많이 경험했던 필리핀인 청년과 윤민혁 정도가 선명하게 느끼는 감각이었다. 꽤나 크기가 있는 헬기 내부에는 윤민혁, 동남아 사내, 조종간을 잡은 흑인, 그리고 두 명의 완전 무장을 한 용병처럼 보이는 백인이 있었다. 홍인수는 그 내부에 나타나자마자 최길우와 비슷한 동작을 취했다.

점프의 감각이 느껴지고, 홍인수가 나타나자마자 곧바로 윤민혁이 그를 몸으로 덮쳤다. 같이 떨어지기라도 할 기세였다. 홍인수는 갑자기 다가오는 누군가의 인기척에 먼저 빼들어 앞으로 조준하던 권총의 방아쇠를 그대로 당겼다. 탕! 방탄 플레이트를 몸통에 두르고 있던 윤민혁에게는 저지력 이상의 의미는 없었다. 그러나 저지력이면 충분하다.

"윽!"하는 신음 소리와 함께 윤민혁의 움직임이 일순 멈추었고 그 시간이 홍인수가 시야를 회복하는 시간이었다. 홍인수는 그대로 총구를 움직였다. 윤민혁에게가 아니라, 기관총을 조작하던 필리핀 청년의 어깨 죽지를 향해서였다. 곧이어 총성이 들리고 사내가 비명을 지르며 기관총을 놓았다. 홍인수는 그대로 발작하며 쓰러지듯 무너지는 사내의 다른쪽 어깨에 한 발의 총알을 더 쏘았다. 아무리 시간이 지나도 기관총을 조작할 생각은 하지 못하도록.

그리고 그 사이에 다시 윤민혁이 끈질기게 달려들었다. 복잡한 움직임으로 제압하려고 해보았자 통하지 않는 상대도 있다. 윤민혁은 좁은 공간에서 육탄 돌격으로 홍인수를 저지하려고 했다.

조종석 부근에 있던 이도 움직여서 홍인수의 발목을 잡았다. 그 사이에 윤민혁이 태클을 걸듯 강하게 몸을 날렸고, 홍인수는 크게 저항하지 않고 그 흐름에 몸을 맡겼다. 곧 뒤편에 열린 승강구를 통해 둘의 몸이 헬기에서 쿠당탕, 쇠판 따위에 부딪히면서 나가 떨어진다.

후우욱, 하고 중력의 감각과 함께 귓가를 가르는 아찔한 공기 저항이 느껴졌다. 몇 초면 순식간에 가속도가 붙어 도로에 떨어질 것이고, 붉은 자국만 남기고 그대로 몸이 부서질 테다. 홍인수는 크게 당황하지 않고 도약을 다시 했다. 점퍼의 도약을 막을 수 있는 수단은 없었다. 정신력을 사용하지 못하도록 기절을 시키지 않는 이상은.

그리고 어차피 윤민혁 역시 죽고 싶지 않다면 점프를 해야 하는 상황이었다. 빌딩들의 사이, 도로를 향해 떨어지면서 곧 한 호흡 뒤에 상공에서 모습을 감추었다.

홍인수는 다시, 근처 건물의 옥상에서 모습을 나타냈다. 윤민혁은 다른 곳으로 이동을 한다. 그들이 있던 헬기는 고도를 그렇게 바꾸지 않고 건물들의 옥상과 비슷하거나, 조금 아래를 지나고 있다. 홍인수는 어쨌든 언제 무슨 짓을 할지 모르는 비행체를 처리하기 위해서 다시 헬기 내부로 도약을 한다.

후욱, 하고 그가 사라졌다.

*

송일우와 김민서는 홍인수가 나타났던 맞은 편의 최고층 빌딩의 옥상에 있었다. 난간이 제법 높고 그 사이에 골이 있어서 바깥으로 통하지는 않는다. 잘 꾸며진 옥상 정원이었다. 그리고, 그들은 그곳에서 잠시 태세를 정비하고 어떻게 움직일지를 생각하다가 누군가 다가옴을 알아챘다.

점프 특유의 전조 현상과 소리가 났다. 그들 모두 점퍼였고, 익숙하게 느껴지는 JE의 움직임에 해당하는 방향을 바라보았다.

한 호흡 뒤에 원래부터 그 자리에 있었던 것처럼 윤민혁이 모습을 드러낸다. 여전한 비쥬얼이었다. 카고 바지에 두터운 재킷. 선글라스를 끼고 있는 중년의 사내. 굵직한 체구에서 나오는 힘은 정면에서 상대하기 부담스러운 느낌마저 있었다.

송일우는, 나름대로 오랜만에 만난 전 리더에게 반갑게 인사를 건넬만한 정신은 없었다.

"이런 씨."

라고 소리를 뱉으며 저도 모르게 들고 있던 소총을 겨눌 뿐이다. 윤민혁은 시야가 회복되기 전에 인기척을 느꼈다. 전장에서 활동하는 점퍼에게 가장 중요한 능력은, 점프의 직후 제한된 감각 속에서 주변의 정보를 받아들이는 능력이었다. 그는 귀에 들리는 이 상황을 감지하고 본능적으로 몸을 날렸다. 그리고, 그 자리에 소총탄이 쏟아질 무렵 그가 시야를 확인한다.

윤민혁이 곧 도약을 하며 다시 사라졌다. 그가 나타난 곳은 송일우의 뒤 편이었다. 윤민혁이 근접전에서 어떻게 싸우는 지는, 송일우가 가장 잘 아는 것 중 하나였다. 그에게 본격적인 실전 전투법을 배운 것이나 마찬가지였으니 말이다.

송일우 역시 김민서를 밀쳐 날리듯이 옆으로 쳐놓고 자신도 몸을 날렸다. 윤민혁은 그들의 뒤켠 한 발자국 거리에서 나타나 곧바로 프론트 킥으로 앞을 찼다. 그가 사라질 무렵에 이미 움직이기 시작한 그들이었기에, 윤민혁의 발차기는 허공을 갈랐다.

잘 조경된 잔디와 알록달록한 석재로 가꾸어둔 정원에 거친 소란이 일어났다. 소총탄이 정원의 한 구석을 엉망으로 이미 만들었다. 정원에는 야간에 저절로 켜지는 것인지, 가로등처럼 백색 등이 여기저기 켜져 있어서 시야를 밝힌다.

송일우는 그대로 넘어지듯 앞으로 구르며 다시 일어났고, 도약을 준비했다. 계속해서 이어지는 도약과 근접 거리에서의 움직임 속에서 누가 먼저 흐름을 놓치느냐였다. 윤민혁은 그대로 다시 몇 걸음 걸어서 사라지기 전에 주먹을 휘두르려 했고, 반응이 빨랐던 지라 한번 더 놓치고 말았다.

송일우는 계속해서 소총을 들고 있는 채였다. 거리를 벌리면 그에게 우세한 상황이다. 송일우는 옥상보다 더 위, 십 미터 정도 상공에 나타났다. 그리고 아래를 향해 허공에서 조준을 하면서 잠시 기다렸다. 시야가 불안정하다면, 혹시 김민서에게 오발을 맞출 수 있었기에.

김민서는 태도가 이번에는 제법 기민했다. 재주 좋게, 그리고 주제 파악을 잘해서 밀쳐진 다음에 재빠르게 굴러 어딘가로 향했다. 옥상 화단 어딘가에 멀찌감치 떨어져 모습을 숨긴다. 송일우가 악을 지르듯이 소리쳤다.

"정신 집중 똑바로 해! 상대가 점퍼다!"

그 말은, 정신적인 평안 상태, 재밍 능력의 발휘를 위한 집중을 해내라는 뜻이었다. 정신적으로 혼란이 가중되어서 패닉에 빠질 정도가 된다면 그의 재밍 능력도 아무래도 발휘가 어려웠다. 전장에 온 순간부터 그의 재밍 능력이 흔들리고 있었다.

민서는 다시금 날뛰는 심장을 진정시키며 자신의 능력을 발휘하고, 다른 이들에게 도움이 되기 위해 애를 썼다.

민서가 발휘하는 재밍 능력은 그간 많은 변화와 계발을 거쳐서 실전에서 어느 정도 써먹을 수 있을 만한 특질의 능력이 되었다. 어지간한 난전에서도 집중을 해낼 수 있었고, 그 범위가 늘어나는 시간 또한 짧았다.

또한 그가 발휘하는 JE2는 영리한 메커니즘을 갖고 있었다. 스스로 익숙한 JE를 보유한 이들을 구분해서, 재밍 능력의 대상에서 제외시킬 수도 있었다. 주로 그가 점프를 경험한 점퍼 조직의 점퍼들이었다.

그가 재머로서 난전 상황에서 능력만 정확하게 발휘할 수 있다면, 상대방이 점퍼인 이상 팔다리를 다 묶어놓는 것이나 마찬가지였다. 한 번이라도 걸려든다면, 예상치 못한 착오로 인해 단번에 제압하는 것도 어려운 일은 아니었다.

김민서는 그의 말대로 정신을 차리기 위해 노력했다. 상공에서 떨어지는 낙하 중력을 그대로 받으면서 송일우가 소총의 방아쇠를 당겼다. 투다다다다! 재주도 좋게 견착을 제대로 한 소총이 총알을 뿜어댔다. 건물 옥상의 바닥과 화단에 총알이 난사된다.

윤민혁은 송일우가 사라진 시점에 이미 똑같이 점프를 준비하고 있었고, 아쉽게도 공중 사격이 그에게 맞는 일은 없었다.

윤민혁 역시, '재머'라고 불리는 특질의 점퍼에 대해서 마이클에게 미리 언질을 받았으므로, 이번에는 최대한 먼 곳으로 도약을 해서 본인의 모습을 지웠다.

김민서가 역장을 유지하고 있는 한, 그가 전장으로 돌아오는 일은 어려울 테였다. 그 옆에 송일우 등의 전투 요원이 함께하고 있을 테니. 일순간의 무방비라면 상대의 체격이 어떻든 제압하기에 충분했다. 눈이 보이지 않는 상대의 목을 졸라 메는 것만큼 쉬운 일이 없을 테니까.

*

점퍼 요원들은 빌딩 내부, 혹은 도심 골목 각지에서 채 피하지 못한 이들을 순간이동으로 대피시키기 위해 자신들의 JE 대부분을 소모하고 있었다. 엘리트라 불리는 전투 요원들 몇만이 테러리스트에게 공격적으로 대응하기 위해 움직이고 있을 뿐이었다.

개중에 브레이커, 라 불리는 이 또한 공격을 위해 움직였다. 그녀 역시 수십 회의 점프를 순식간에 시민들의 대피를 위해 사용한 뒤였지만 남은 일정 부분은 테러리스트의 명치에 파괴적인 주먹을 꽂아 넣기 위해 사용하기로 했다. 그녀 역시, 점프에 있어서는 나름대로 일가견이 있는 베테랑이었다. 그녀는 차선이 넓은 대로변의 한 가운데로 먼저 도약을 해 움직였다.

그리고 나서, 헬기의 위치를 살피면서 들 수 있는 최대한 거대한 바윗덩어리를 점찍어 손을 대었다.

그녀는 일순간 초인적인 힘을 발휘할 수 있는 장비를 끼고 있었다. 섬세한 컨트롤과 움직임의 예측이 필요한 장비였고, 단선적이고 일시적인 움직임에 발휘되는 힘이었기에 적절한 순간에 사용하지 못한다면 오히려 카운터의 틈을 내주는 장비였다.

즉 타격전에 대한 고도의 센스와 격투 실력이 받쳐주지 않는다면 실전에서 사용할 엄두조차 내지 못하는 물건이다. 그리고 이런건 사람을 상대하지 않을 때에도, 종종 쓸만한 점이 있었다.

그녀는 마지막으로 흘긋, 빌딩 사일 날아다니는 헬기 한 대의 위치를 파악하고 자신의 상체만한 콘크리트 덩어리를 만졌다. 얼마 전까지 도로의 일부였던 그것은 마침 들기에 적당한 각진 모양이었다. 그녀는 불안정하게 파헤쳐진 박살 난 도로 위에서 지지대 삼을 장소에 발을 적당히 가져다 두고, 한 순간의 호흡으로 초인적인 힘을 발휘했다.

"으긋."

이가 갈리듯이 부딪히며, 그녀는 온 사지와 몸에 근육이 긴장이 되는 걸 느꼈다. 본디 이성적인 제어 하에서 사용 가능한 것보다 훨씬 강렬한 힘이 그녀에게 전해졌다. 본디 그녀의 신체 잠재 능력에 속하는 힘이었다. 전기 신호를 이용하는 기계 장치로 일시적인 한계점을 풀어버린 것 뿐이다.

그리고 그런 일시적인 힘의 이용은 몸에 막대한 부하를 일으킨다. 그를 위해서, 그녀는 평소에 누구보다도 하드한 트레이닝으로 신체 능력을 유지해야만 했다. 강대한 힘이 제대로 사용이 되려면 기본적인 체력이 받쳐주어야 하는 것이다.

그녀는, 자신의 상체만한 부피의 콘크리트 덩어리를 한 번에 들어 올렸다. 발밑도 불안정한 상태에서 해낸다는 점에서 묘기에 가까운 일이었다. 그리고, 동시에 직전에 실행해 두었던 점프가 발동되었다.

그녀가 콘크리트 바위를 허리께까지 들어올린 시점에서, 후욱 하고 사라졌다. 두 손으로 온전히 무게를 감당하고 있는 바위 역시 함께였다.

그리고 그녀가 모습을 드러낸 곳은 상공이었다. 빌딩의 불빛이나, 헬기에서 비추는 라이트. 여러가지 도시의 불빛들이 도심을 밝히고 있었다. 그녀는, 두 대의 남은 헬기 중 비교적 낮은 헬기의 위였다. 그녀는 그 자리에서, 그대로 약간의 힘을 더해 바위 덩어리를 비틀어 던졌다. 약간의 포물선을 그리며 낙하하는 바위 덩어리의 아래에는,

전진하는 헬기의 프로펠러가 있었다.

쿠지지지지직! 하고. 야구 선수의 제구 솜씨처럼 정확하게 날아든 콘크리트 바위 덩어리는 제 몸을 헬기의 프로펠러 사이에 던져 갈려 나갔고, 채 갈려 나가기 전에 훨씬 연약한 회전 날개를 부수어 댔다.

프로펠러가 돌아가는 위에 떨어진 바위가 그대로 헬기를 주저앉혔다.

쿵! 하는 최초의 충격 이후에 헬기는 잠깐의 양력을 유지했다가 얼마 지나지 않아 그대로 회전 날개의 날이 부러져 망가졌고, 그대로 꼬리 날개만 남아 약간의 추진력을 가진 채 앞으로 서서히 추락했다.

순식간에 벌어진 일이었고, 헬기 내부에서는 충격과 동시에 떨어지는 것과 다를 바 없었다.

콰직, 하고 쇠나 카본으로 만들어진 판체들이 부러지는 불길한 소리가 강렬하게 들렸다. 외부가 바스라지고 내부 기계 장치와 엔진에까지 충격이 오기까지 순차적이었다.

새총으로 새를 맞추어 떨어뜨리듯 한 일이었으나, 다소 규모가 장렬한 편이었다. 메리 포핀스는 스케일이 큰 여자였다.

허공에서 벌어진 일은 기이한 묘기의 한 장면처럼 보였다. 헬기 내부의 상황은 호러나 서스펜스에 가까웠다.

*

홍인수는 바윗덩어리가 프로펠러로 떨어지는 헬기 내부에 타고 있었다.

심지어, 그가 그 내부로 진입한 직후의 일이었다.

후욱, 하는 소리와 함께 비교적 고도가 낮은 헬기에 그가 나타 난다. 윤민혁은 아직, 다시 헬기로 돌아오지 않았다. 재머에 대한 경계심이 있다면 다시 현장에 돌아오지 않을 수도 있었다.

헬기 내부는 그리 넓지 않았다. 그리 오래 지나지 않은 시간에 그가 납탄으로 저지해둔 필리핀인 청년이 쓰러져 있었다. 윤민혁의 뒷자리에 있던 두 용병 사내가 있었고, 좌석 쪽에도 여전히 마이클 이 부리는 부하들이 있었다.

홍인수는 헬기에 나타나자마자, 자세를 슬쩍 낮추며 안면을 가렸 다. 그가 착용하고 있는 방탄 피복으로 노출된 부위만 가리면 총탄 에 바로 맞아 죽지는 않는다.

그리고 시야가 돌아오기까지 기다리는 시간보다, 익숙하다면 점 프를 근거리에 시행했다가 취소함으로써 그 자리에 어떤 사물이 있는지 알게 되는 편법을 이용해 적의 위치를 아는게 빠르다.

홍인수는 순식간에 대강의 기척을 JE를 이용해 읽고는 움직인다. 그가 앞 발을 뻗어 재빠르게 찼다. 퍽! 정확하게 상대의 움직임이 걸려 들었고 다음 순간에는 시야가 회복되었다. 시야 이외에도 다른 오감으로 싸우는 법 역시 점퍼로서 전장터를 오가다 보면 익히게 마련이었다.

촉각과 청각. 심지어 후각까지. 그 짧은 시야 암전의 순간에 극한까지 예민해지는 감각들이다. 홍인수는 방탄복과 장비를 갖추고 있는 건장한 체구의 백인 남성의 배를 걷어찬다. 그는 그대로 밀려나 헬기의 벽면에 부딪혔다. 그가 들고 있던 권총을 바로 옆으로 겨누어 쐈다. 탕!

용병 하나가 뒤늦게 반응하려다 팔을 맞았고, 그 순간에 불길한 소리가 위에서 들렸다.

쾅!

하는 소리와 함께 여러가지가 부서지는 소리가 연이어 들렸다. 콰지지직, 이라던가. 곧바로 홍인수는 헬기의 양력이 순간 상실되며 주저 앉는 느낌을 받았다. 헬기 내부의 전 인원이 겪은 것이다. 가장 패닉에 빠지는 인간은 보통 조종석에서 조종간을 잡고 앉아 있는 쪽이다.

홍인수는 갑작스러운 재앙에 일단 점프를 이용하기로 했다. 그리고, 어지간하면 범죄자나 테러리스트라도 눈앞에서 인명이 사라지는 걸 보는 편은 아니었다. 점퍼 조직의 인원들은. 물론 전투 중에 불가항력적으로 발생하는 사상자는 어쩔 수 없지만. 자신의 목숨이 위협받는 와중에 다른 사람을 제압만 한다는 것도 우스운 이야기였다.

어지간하면.

구출하려고 한다. 그래서 홍인수는 확실하게 떨어질 게 분명한 헬리콥터에서 일단 제압당한 인원들에게 손을 가져다 대려 점프를 시도했다.

조종석 쪽에는 조종사와 조수석에 한 사내가 있었지만 일단 신경 쓰지는 않았다.

"망할! 죽어, 이 괴물 자식!"

그러려 했지만, 조수석에 앉은 사내가 발작적으로 추락하는 와중에도 홍인수에게 총을 들이밀었다. 홍인수는 그의 말소리나 기척을 느끼자마자 몸을 반회전 시키며 총을 쏘았다. 탕! 조준에는 얼마 시간이 걸리지도 않았다. 패스트 건샷처럼 순식간에 겨누어지고 쏜 총이 그의 어깨를 맞추었고, 동남아 계의 사내가 비명을 지르며 널브러졌다.

헬기는 동력을 잃고 추락하는데, 균형을 잃고 최대한 앞으로 떨어지기 위해 뒷날개를 힘껏 돌렸다. 홍인수 역시 그 내부에서 자세를 잡기가 어려웠다. 그의 곁에 있는 양 어깨를 맞은 필리핀인 사내에게 슬쩍 손을 대면서, 곧 도약을 시도했다.

최초에 앞발에 얻어맞은 사내는 넘어가면서 어딘가에 부딪히기라도 했는지 힘없이 바닥의 철과 얼굴을 맞대며 구르기에 남은 손을 그의 종아리 즈음에 대었다.

홍인수와 두 명이 곧바로 모습을 감추었다.

*

헬기 한 대는, 상부에 바위를 처박은 여인 때문에 천천히 활공하여 부서진 콘크리트 더미에 본체가 처박혔다.

홍인수는 그 내부에서, 범죄자들을 구하기 위해서 5번의 도약을 사용했다.

마지막 순간까지 비명을 지르며 조종간을 놓지 않던 조종사까지도. 폐허가 되어버린 콘크리트 도시에 그냥 두었다.

헬기는 바닥에 부닥치면서, 그 부서진 몸체가 충격으로 바스라지며 그 남은 기계의 생명이라도 토해내는 듯이 굉음을 냈고 엔진부에 잘못 열이라도 가해진 것인지 연쇄적으로 폭발을 했다.

화염에 휩싸인 헬기가 도로 위에 있었지만, 그것에 영향을 받을 시민들은 이미 주위에 없었다. 불타버린 헬기의 자재들이 있었고, 그 부스러기-라기엔 조금 큰 것-들이 도로 주변에 흩뿌려져 있었다.

호쾌한 장면이 아닐 수 없었다. 메리 포핀스는, 그 내부에서 어떤 일이 벌어졌는지는 정확히 모르는 채 다시 인근 빌딩의 옥상으로 도약을 했다. 홍인수도 마찬가지였다. 마지막 남은 헬기가 있었다. 가장 높은 고도를 돌아다니던, 마이클과 유진이 타고 있는 기체였다.

마이클은 헬기들이 격추되고 탈취되는 것을 보며 슬슬 마지막을 생각했다. 이 정도를 했으면 되었다. 어느 정도 그래도, 이 발전된 국가의 시민들에게 충분한 트라우마를 심어주었을 것이다. 그리고 그에 연계된 세계적 인구들에게도 동일한 충격을 주었을 것이고 말이다.

선진국들의 연대 내부에서도 동요가 일 것이고, 그러면 이어서 어수선한 정세 속에서 점퍼 조직의 본부에 직접적인 타격을 가한다. 그는 비점퍼 요원이자 점프 물리학 연구소의 연구원으로서 기지의 위치를 알게 된 일이 있었다.

기지의 위치는 가장 큰 기밀 중 하나였지만, 결국 점퍼 조직이 돌아가기 위해 일하는 것도 사람이었으므로, 빈틈은 충분히 있었다.

마이클은 그렇게 다음 계획을 바라며 퇴각을 준비한다.

그들이 저지른 소란의 끝은 정해져 있었다. 폭약도 어느 정도 사용해서 쑥대밭으로 만들었고. 본격적인 기동 병력들이 다가와 진을 치기 전에 빠져나가는 것이 좋았다.

상대편에 재머가 있다면 이미 전략적으로 근접 교전에서의 도약 전투는 불가했다. 아주 서서히, 또 천천히 물자를 옮겨서 이렇게 깜짝 쇼를 벌이고는 외곽으로 빠지는 것이 그들이 사용할 수 있는 전략의 한계였다.

헬기 두 대가 추락했다는 점에서, 그들이 끌고 온 전투 인원들이 정리되었다는 걸 의미했다. 특히 점퍼로서 복잡한 전투가 가능한 윤민혁이 두각을 나타내지 않고 있었다.

상황은 그들에게 불리했다. 그렇다고 마이클이 잡힐 생각은 아니었지만.

그는 마지막으로 쇼의 피날레를 깔끔하게 끝내고 이탈할 생각을 마쳤다. 그가 옆에 있는 유진에게 소리쳤다.

"유진! 마지막으로 이탈한다!"

이번 상황에서 '마지막'은 정해진 행동 뒤 같은 타이밍에 도약으로 빠져나가는 것이었다.

헬기의 내부에는 드랍 용으로 적재해 둔 플라스틱 박스 폭탄 외에도 다량의 화약이 있었다. 적잖은 양을 넉넉하게 준비해두었고, 하이라이트에 어울리는 메인 메뉴를 선사하기 충분한 정도였다.

유진은 마지막이란 단어에 곧바로 이해했다. 마이클이 조종사의 등받이를 쿵 치며 말했다.

"데이브! 꼴아박아!"

참 알기 쉬운 지령이었다. 데이브라 불린 조종석의 사내는 고개를 크게 끄덕이며 조종간을 붙잡았다. 여러가지 버튼들을 눌러 기계를 정비하고 마지막을 준비했다.

짧은 조작이 끝나고, 핸들을 꺾으면 된다. 말 그대로, 처박는 일에는 그리 어려운 행동이 요구되지는 않았다. 상공에서 빠르게 움직이던 헬기가 선회하며 서울 시내 도로 사이로 들어가기 시작했다.

고도가 점차 낮아지고 헬기의 앞머리가 기울었다. 고속으로 날아가는 헬기는 그대로 꺾어 어느 빌딩의 중간 지점을 노리는 것 같았다.

마이클이 탄 헬기에는 그와 유진, 데이브와 조수석에 앉은 동양인 용병 사내의 네 명 뿐이었다. 헬기가 움직이기까지 그리 오랜 시간이 걸리지는 않는다.

물론, 그 모습을 바라보는 다른 이들은 비명을 질렀다.

가장 먼저 움직인 것은 아무래도 홍인수와 최길우였다.

다변적으로 각도를 꺾으며 움직이는 헬기 내부로의 도약은 점퍼들로서도 난이도가 높은 일이었으니.

이명처럼 들리는 작은 점프의 효과음이 들리며 먼저 나타난 것

은 최길우였다. 그는 그 찰나에 헬기 내부를 두어 번 이미 탐색했다. 최길우는,

나타나자마자 오른 팔을 갈고리처럼 만들어 크게 휘둘렀다. 마침 헬기의 중간에 손잡이를 잡고 서있던 마이클이 궤도에 걸리게 된다. 최길우는 마치 보이는 것처럼, 순식간에 그의 목께를 휘감으며 몸을 돌렸다.

유도에서 몸을 써서 엎어치는 것처럼, 반동을 이용해 막강한 근력으로 휘둘렀다. 그대로 마이클은, 채 저항하지 못하고 바깥으로 빠졌다. 최길우는 그대로 마이클을 반대편 승강구로 날려버렸다.

마이클은 초라하게 날아갔다. 점프 능력이 없는 그가 헬기에서 떨어진다면 곧바로 죽게 된다. 누군가가 돕지 않는다면.

유진은 본능적으로 움직여서, 텔레포터로서의 능력을 사용한다. 헬기가 고도를 낮추며 고속으로 비행하고, 보스가 날아간 상황에서 집중을 해내었다. 흘긋 보이는 바깥의 풍경으로 보스의 위치를 잡은 뒤 텔레포트를 시행한다.

텔레포트는 순식간에 시동이 걸리고 작동되었다. 올바르게 작용했는지, 허공에서 마이클의 몸이 사라졌다. 그리고 유진은 마이클을 자신의 곁으로 '불러오기'를 했지만, 그가 나타난 곳은 다른 곳

이었다.

'재머'가 장악하고 있는 교전 지역이었다. 유진은 자연스럽게 깨달았다. 사실 뇌리 어딘가에는 있던 정보였으나, 난전 속에서 급박한 와중에 절차를 줄여야 했기에 어쩔 수 없었다.

유진은 곧바로 스스로의 도약을 시도했다. 최길우는 굳이 유진의 모습을 보고 쫓지 않았다. 그는, 현장에 김민서가 있다면 그리고 송일우가 같이 있다면 알아서 처리를 할 것이다.

지금 중요한 건 이 미친 헬기 운전사를 막는 것이었다. 리시버는 자주 이 일을 반복하는 것 같다고 생각 하며, 이번에는 회유가 아닌 빠른 행동으로 태도를 바꾸었다.

이전의 경험으로 말을 빠르게 알아듣는 친구는 아닌 것을 깨달았기 때문이었다.

그의 위치에서 오른 팔로 상대의 목을 휘감는 것이 편했다.

리시버는 추락하는 헬기에서 조종석의 뒤편에 몸을 바싹 붙인다. 보조석에 동양계의 용병이 하나 있었으나 일단 무시한다. 총구라도 들이밀지 않는다면 추락하는 헬기의 고도를 높이는 게 헬기 내부 인원들이 모두 살 길이었다.

리시버가 빠르게 조종수의 경동맥을 팔뚝으로 조이며 조종간을 잡았다. 제법 묵직한 핸들의 감촉이 느껴지며 앞으로 꺾던 것을 뒤로 당기어댔다. 헬기가 요동친다. 최악의 경우에는 그냥 빌딩에 부딪히는 것만 피하는 수도 있었다.

이미 폐허가 되어버린 콘크리트 더미 가운데 처박는 것이 그나마 인명 피해를 가장 줄일 수 있는 방법이리라.

헬기 자체의 방향은 도로를 향하고 있었다. 충분히 고도를 낮춘 뒤에 빌딩 쪽으로 꺾으려던 차였고, 그 전에 최길우가 개입했으니 말이다.

리시버가 사력을 다해 당기자 헬기가 덜컹거리며 부자연스럽게 고도를 높였다. "이런 씨이이이이."

금방이라도 욕지기가 터져 나올 것 같은 상황 속에서 최길우는 간신히 뒷말을 삼키면서 힘을 주었고, 조종수가 축 늘어졌다.

부조종석에 타 있는 동양계의 용병은 급박하게 덜컹거리는 내부에서 쉽사리 움직임을 취하지 않고 있었다. 은연 중에, 그 또한 자신의 목숨을 보전하고자 하는 생각이 들었기 때문인지도 모른다.

리시버로서는 아주 달가운 선택이었다. 뭔지도 모를 조작기계에 직관적으로 조종간만 붙들었으나 감사하게도 헬기는 움직였다. 헬기가 상하로 뒤집어진 포물선을 그리며, 크게 휘청이듯 불안한 움직임을 보이고는 빌딩들 사이의 하늘로 빠져나왔다.

*

점퍼Jumper, 순간이동자 4권 끝.